Patricia Arribálzaga

Cupcakes, Cookies & Macarons
de
Alta Costura

Dear Beverley

With great pleasure I dedicate my book to you,
SK has been a very important supplier of my School
and career.
Hope to see you soon!
Warm regards

CAKES HAUTE COUTURE • PASTELES DE ALTA COSTURA

A mi querido esposo Martin y a mi maravillosa hija Miranda con todo mi amor

Textos y diseños: Patricia Arribálzaga

Estilismo y dirección artística: Patricia Arribálzaga

Fotos: Martin Arribálzaga · © Copyright de todas las fotos: Martin Arribálzaga

Otros fotógrafos:
Marc Ubach, págs:12-15, 46-47, 62-63, 76, 77, 79, 84-85, 102, 106, 118, 139
Ángel Marín, págs: 6, 8-9, 22-24, 30, 31, 35, 54-56, 58-59, 61, 92, 110-112, 119, 121, 122

Diseño gráfico: Nicole Hofmann

www.cakeshautecouture.com

© EDITORIAL JUVENTUD, S. A., 2012
Provença, 101 - 08029 Barcelona
info@editorialjuventud.es - www.editorialjuventud.es

Primera edición, octubre 2012
Segunda edición, noviembre 2012
Tercera edición, diciembre 2012
Cuarta edición, mayo 2013

DL B 23905-2012
ISBN 978-84-261-3943-6
Núm. de edición de E. J.: 12.625
Maquetación y composición: Anglofort, S.A.

Printed in Spain
A. V. C. Gràfiques, Avda. Generalitat, 39 - Sant Joan Despí (Barcelona)

Sumario

Introducción

Ha sido una experiencia maravillosa poder escribir este libro, en él me he propuesto transmitir todas las técnicas para que puedas elaborar dulces de diseño y también compartir mi filosofía en la que el sabor de los productos constituye un factor básico e irrenunciable.

El criterio tradicional de que la pastelería de diseño es impactante visualmente pero muy pobre en sabor siempre me ha parecido inaceptable, y desde la creación de **Cakes Haute Couture • Pasteles de Alta Costura** he apostado por la incomparable delicadeza de los sabores genuinos, logrados a través del uso de ingredientes naturales de la mejor calidad, junto a la creación de extraordinarias decoraciones. Los sabores exquisitos y la originalidad de los diseños han sido la clave de nuestro éxito.

Este libro te ayudará a crear cupcakes, cookies y macarons fabulosamente decorados y de sabores inolvidables. Para ello plasmo aquí toda mi experiencia de más de diez años en la repostería y en la enseñanza, guiándote para que desarrolles habilidades por medio de trucos y consejos obtenidos a través de los miles de pasteles que han salido de mi taller. He recogido en mi escuela de sugarcraft las dificultades de los alumnos y en base a ellas he desarrollado un método de enseñanza que plasmo en este libro y que te permitirá crear fantásticos diseños con una gran optimización del tiempo empleado.

La decoración siempre está hecha en azúcar, mazapán y chocolate, ingredientes que armonizan perfectamente con las recetas del libro. Para los macarons escojo decoraciones tiernas para que su sabor permanezca intacto, para los cupcakes cremas delicadas con decoraciones de azúcar fácilmente retirables y para las cookies deliciosos sabores con un glaseado equilibrado y decoradas con pequeños detalles que no alteran su sabor. No utilizo fondant para decorar las galletas porque, en mi opinión, degrada su sabor, dando una textura demasiado pastosa y dulce.

Mi meta ha sido compartir toda la información posible contigo para que aprendas desde cómo hacer masas tiernas y homogéneas para galletas, exquisitos cupcakes y suaves macarons hasta los trucos más sofisticados de decoración, de manera que tengas la oportunidad de desarrollar tu creatividad sorprendiendo dulcemente a todos.

Deseo que disfrutes y te diviertas preparando estos dulces y que te animes a crear tus propios diseños. Requerirá práctica y constancia de tu parte, pero una vez que comiences a experimentar verás que es más fácil de lo que creías.

Cómo usar el libro

Antes de comenzar un proyecto, te recomiendo consultar la sección **Recetas y técnicas** (pág. 188), donde se explican las recetas, los procedimientos básicos y técnicas de decoración. En cada uno de los proyectos se enseña paso a paso cómo realizar la decoración del correspondiente producto y su receta, y también encontrarás remisiones a la información contenida en la sección Recetas y técnicas. El fondant, la pasta de goma, la pasta de modelar, el mazapán y el chocolate plástico, puedes comprarlos en tiendas especializadas, o hacerlos de forma casera con las recetas de las páginas 200 a 203.

La página de **Equipo básico** (pág. 5) ofrece una referencia fotográfica de los utensilios e ingredientes indispensables y el **Glosario** (pág. 222) te guiará con la descripción y composición de los mismos junto a sus denominaciones en otros países. En la sección **Materiales utilizados** (pág. 218) se suministra una guía de los ingredientes, colorantes, cortadores, utillaje y plantillas utilizados en los proyectos.

Equipo básico

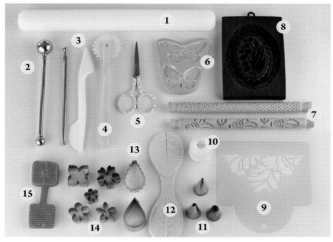

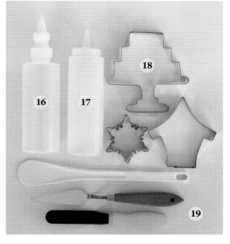

1 – Rodillo
2 – Bolillos: pequeño y grande
3 – Esteca plástica cuchillo
4 – Rueda marcadora de costuras
5 – Tijera
6 – Placa texturizadora
7 – Rodillos texturizadores
8 – Molde de Springerle
9 – Plantilla de esténcil
10 – Adaptador de plástico para boquillas
11 – Boquillas
12 – Texturizador de hoja de rosa
13 – Cortador de pétalo y hoja de rosa
14 – Cortadores de flores

pequeñas
15 – Texturizador de flor
16 – Biberón plástico de punta fina
17 – Biberón plástico
18 – Cortadores de galletas
19 – Espátulas
20 – Boquillas pasteleras
21 – Adaptador de plástico para boquillas pasteleras
22 – Molde para hornear cupcakes
23 – Mangas pasteleras
24 – Cápsulas de papel para cupcakes
25 – Perlas de azúcar
26 – Non Pareils
27 – Azúcar de colores

28 – Sprinkles de azúcar
29 – Pinceles de distinto tamaño
30 – Rotulador de tinta comestible
31 – Colorante alimentario en gel
32 – Colorante alimentario en pasta
33 – Colorante alimentario en polvo
34 – Colorante alimentario en polvo perlado
35 – Purpurina comestible

Otros materiales

· Robot de cocina batidor y mezclador o una batidora eléctrica manual

· Rodillo con aros niveladores o varillas niveladoras de 6 mm
· Bols
· Espátulas flexibles y rígidas
· Batidor de varillas
· Film plástico
· Bolsas plásticas
· Bolsas plásticas de cierre hermético
· Recipientes plásticos de cierre hermético
· Papel de aluminio
· Papel para horno
· Palillos de madera
· Tapete grueso de goma EVA (*flower pad*)

Cupcakes
de Alta Costura

Cupcakes

Los cupcakes se han vuelto increíblemente
populares en los últimos años y nadie se puede resistir
a estos pequeños pasteles individuales de una ilimitada
diversidad de sabores y colores.

Las recetas que propongo son fáciles de hacer,
y a su vez exquisitas e innovadoras, y no se requiere
tener experiencia en repostería para elaborar estos
deliciosos cupcakes. Sus sabores y espectaculares diseños
de diferentes estilos para todo tipo de celebraciones
deslumbrarán en todas las ocasiones.

Haute Couture Cupcakes

Este diseño está inspirado en elementos icónicos de la alta costura: las camelias y el matelassé, que fueron el sello propio de Coco Chanel, reina indiscutida de la Haute Couture. Estos cupcakes son ideales para un cumpleaños muy chic o para dar el toque dulce en un cóctel o al final de una cena sofisticada.

Receta

Cupcakes de coñac y nueces

Este es uno de mis sabores favoritos de cupcakes, por su textura increíblemente suave y esponjosa, perfumada delicadamente al coñac. Esta es una receta de mi madre de quien he heredado la habilidad y el gusto por la repostería y también muchas de sus maravillosas recetas.

Ingredientes (para 12 cupcakes aprox.)
150 g de mantequilla
110 g de azúcar glasé
3 huevos
2 cucharadas de coñac o brandy
55 g de harina
55 g de maicena
1 cucharadita de levadura en polvo
12 mitades de nueces picadas

Preparación
Batir la mantequilla con el azúcar hasta que quede cremosa, agregar las yemas de los huevos, seguir batiendo e incorporar el coñac. Tamizar juntos la harina, la maicena y la levadura en polvo y agregar a la preparación anterior. Montar las claras a punto de nieve, y agregarlas a la preparación anterior mezclando suavemente. Verter la masa en los moldes de papel cubriendo solo la base, colocar una mitad de nuez picada por cupcake y cubrir con el resto de la masa hasta ¾ partes de los moldes de papel. Hornear durante 20 minutos a 180º.

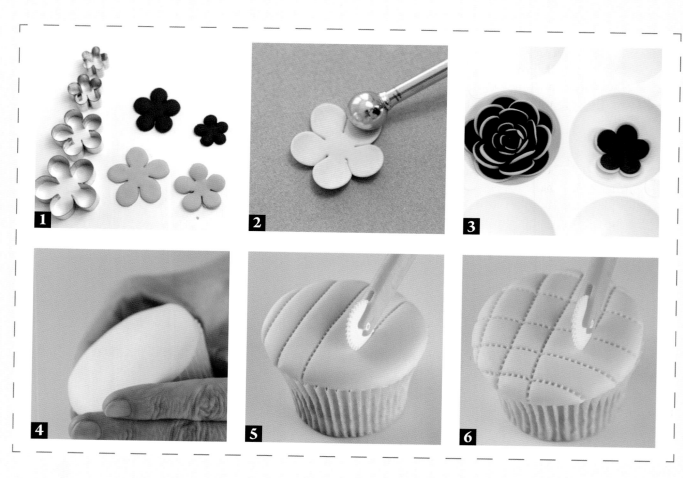

Paso a paso

Ingredientes
Pasta de goma color rosa empolvado (100 g aprox.)
Pasta de goma color negro (100 g aprox.)
Fondant color marfil (500 g aprox.)
Pegamento comestible

Materiales
Cortadores de flores de 5 pétalos en tamaño grande,
mediano, pequeño y mini
Rodillo
Bolillo
Huevera de plástico
Rueda marcadora de costuras

1 Para realizar las camelias bicolores, estirar con un rodillo,
por un lado la pasta de goma color rosa y por el otro la pasta
de goma negra. Con el cortador de flor grande cortar una flor
en pasta de goma rosa y con el mismo cortador cortar una
flor negra.

2 Afinar con el bolillo la superficie y los bordes de la flor rosa
para agrandarla un poco, luego colocar la flor negra sobre
la flor rosa inmediatamente, antes de que la pieza empiece
a secarse, y presionar con el bolillo suavemente hasta que
queden unidas.

3 Colocar cada pieza en la huevera y repetir el procedimiento
con el resto de los tamaños de cortadores. Pegar las flores
con pegamento comestible una sobre la otra, curvando
un poco los pétalos hacia dentro, hasta terminar con la flor
más pequeña.

Dejar secar en la huevera para que tomen forma curvada
durante 24 h.

4 Para cubrir el cupcake, estirar fondant color marfil, cortar
un círculo con un cortador redondo y cubrir *(véase pág. 200)*.

5 Con la rueda marcadora de costuras trazar líneas paralelas
sobre todo el fondant del cupcake.

6 Luego trazar líneas paralelas cruzando las anteriores para
formar el efecto matelassé. Finalmente pegar con pegamento
comestible las flores en el centro de los cupcakes.

Fashion Cupcakes

Los cupcakes por si solos son fashion, pero estos además derrochan glamour, el diseño logra combinar el brillo y la simplicidad de la cubierta de fondant líquido con el llamativo estampado de leopardo del bolso y de la sandalia de azúcar, y son fantásticos para fiestas de chicas fashionistas de todas las edades.

Receta

Cupcakes de coco y piña bañados al ron

*El coco y la piña son dos frutas deliciosas
que combinadas logran un sabor equilibrado
y el almíbar de ron acentúa su sabor tropical.*

Ingredientes (para 12 cupcakes aprox.)

150 g de mantequilla
110 g de azúcar glasé
3 huevos
8 gotas de aceite esencial de coco (o 1 cucharadita
de esencia natural de coco)
50 g de harina
55 g de maicena
1 cucharadita de levadura en polvo
12 trozos pequeños de piña
Almíbar de ron *(véase pág. 192)*

Preparación

Batir la mantequilla con el azúcar hasta que quede
cremosa, agregar las yemas de los huevos y seguir
batiendo, incorporar el aceite esencial de coco
o la esencia natural de coco.

Tamizar juntas la harina, la maicena y la levadura en
polvo y agregar a la preparación anterior.

Montar las claras a punto de nieve y agregarlas
a la preparación anterior mezclando suavemente.

Verter la masa en los moldes de papel cubriendo solo
la base, colocar un trozo de piña por cupcake y cubrir
con el resto de la masa hasta ¾ partes de los moldes
de papel.

Hornear durante 20 minutos a 180º. En cuanto salen
del horno, inmediatamente pincelarlos con el almíbar
de ron, esto además de darle sabor a los cupcakes,
los mantiene húmedos y frescos por más tiempo.

Paso a paso

Ingredientes

Fondant líquido *(véase pág. 197)*
Colorante alimentario color beige
Pasta de goma color negro (200 g aprox.)
Pasta de goma color beige (100 g aprox.)
Pasta de goma color marrón claro (200 g aprox.)
Colorante alimentario en polvo color oro
Una pequeña cantidad de una bebida de alta graduación
alcohólica blanca tipo vodka o ginebra
Glasa real color amarillo
Barniz brillante comestible *(edible confectionery varnish)*
Pegamento comestible

Materiales

Patrones de sandalia y bolso *(véase pág. 219)*
Rodillo
Rueda marcadora de costuras
Manga pastelera
Adaptador de plástico para boquilla
Boquilla redonda lisa N.º 1
Cuchillo
Tijeras
Pinceles

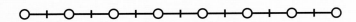

1 Para hacer el tacón de la sandalia, tomar un pequeño trozo de pasta de goma negra, una bolita de no más de 2 cm de diámetro, amasarla bien para que quede maleable y sin grietas, hacer un cilindro y luego con los dedos afinar la pasta para que quede más fina en uno de los extremos. Con la tijera cortar en diagonal el extremo superior, que es el más grueso como se ve en la foto. El tacón de la sandalia debe dejarse secar durante 24 horas. Cuando el tacón esté seco, comenzar a hacer las otras piezas de la sandalia.
En una superficie ligeramente engrasada con mantequilla o margarina estirar con un rodillo pasta de goma negra de 0,5 cm de grosor y cortar con los patrones la plantilla y la plataforma de la sandalia.

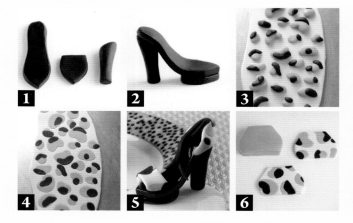

2 Para armar la sandalia, primero pegar la plataforma a la plantilla, pincelando la superficie con un poco de pegamento comestible, luego pegar la parte posterior de la plantilla al tacón y con la mano curvar la plantilla para que quede como se muestra en la foto.

3 Para realizar el estampado de leopardo, en una superficie ligeramente engrasada con mantequilla o margarina estirar con un rodillo pasta de goma color beige de 0,5 cm de grosor, levantar la pasta, volver a engrasar la mesa y cubrirla bien con una bolsa de plástico, para que no se seque. Luego con pasta de goma color marrón claro hacer pequeñas bolitas irregulares y disponerlas sobre la pasta beige estirada, después hacer bolitas irregulares más pequeñas color negro y disponerlas sobre las de color marrón claro como se ve en la foto.

4 Inmediatamente pasar el rodillo primero en una dirección y luego en la dirección contraria para que las pastas queden completamente integradas creando el estampado de leopardo.

5 Cortar con los patrones, la tira de la sandalia y la pieza del talón de leopardo y pegarlas a la plantilla con pegamento comestible. Luego estirar pasta de goma negra bastante delgada, de no más de 2 mm de grosor, y cortar dos tiras de 5 cm de largo por 0,5 cm de ancho, pegarlas con pegamento comestible, dándole movimiento ondulado desde atrás de la pieza del talón, terminar en la parte donde han sido pegadas las tiras con una pequeña bolita color marrón claro aplastada a modo de botón, pegándola con un poco de pegamento comestible.
Para terminar la sandalia, pintar con barniz brillante comestible la plantilla negra y la plataforma, esperar un par de minutos para que seque la primera mano de barniz y volver a pintar para que quede con un brillo intenso.

6 Para hacer el bolso, estirar pasta de goma color marrón claro de 1,5 cm de grosor y cortar con el patrón la que será la pieza central. Pasar la rueda marcadora de costuras por el centro de la pieza simulando las costuras. Luego cortar dos piezas de pasta de goma de leopardo con el mismo patrón, pincelar ligeramente con pegamento comestible y pegarlas a ambos lados de la pieza central.

7 Inmediatamente, antes de que la pasta comience a secarse, con la rueda marcadora de costuras dibujar una Y en el centro del bolso como se ve en la foto, luego cortar con la tijera dos pequeños bolsillos, pasarles la rueda marcadora de costuras en la parte superior y pegarlos con pegamento comestible a ambos lados de bolso.
Para hacer las asas del bolso, estirar pasta de goma negra de 0,5 cm de grosor y cortar dos tiras de 5 cm de largo por 0,5 cm de ancho, curvarlas y pegarlas a ambos lados del bolso; hacer 4 pequeñas bolitas de pasta de goma color marrón claro, aplastarlas y pegarlas con pegamento comestible en el nacimiento de las asas a modo de herrajes. Finalmente con colorante en polvo color oro disuelto en alcohol que puede ser vodka, ginebra, etc., pintar estos herrajes.

8 Bañar los cupcakes con el fondant líquido color beige (*véase pág. 198*). Una vez se haya secado, con una manga pastelera con glasa amarilla y una boquilla N.º 1 realizar la cadena alrededor del cupcake: Primero hacer un pequeño círculo, luego partiendo de ese círculo trazar una línea de 2 cm de largo, terminar con otro pequeño círculo y hacer una pequeña línea transversal en el centro de la línea anterior. Repetir el proceso hasta terminar toda la circunferencia del cupcake. Cuando la glasa se haya secado, en unos 30 minutos, pintar con un pincel muy fino la cadena con colorante en polvo color oro disuelto en una bebida alcohólica blanca.

Violeta y Cassis

La asociación de las violetas con el casis encarna
la pastelería parisina en toda su sofisticación. Este sabor
con su toque floral dominado por la violeta combinado
con la suavidad del chocolate y la acidez del corazón
de casis tiene la capacidad de convertir estos cupcakes en
un dulce definitivamente sublime.

Receta

Cupcakes de casis y violetas

El tándem violeta y casis es uno de los clásicos de la pastelería francesa, la cual es una de mis especialidades.

Los casis o grosellas negras se utilizarán aquí como confitura, ya que por su sabor muy ácido no se suelen consumir crudas. Su acidez y sabor contundente sumados a la crema de chocolate con una nota de violetas da como resultado un sabor fresco y floral.

Ingredientes (para 5 cupcakes de 2 pisos aprox.)
200 g de mantequilla ablandada a temperatura ambiente
200 g azúcar
1 cucharada sopera de mermelada de grosellas negras
1 cucharada sopera de zumo de limón
300 g de harina tamizada
4 huevos medianos
Mermelada de grosellas negras para rellenar los cupcakes
Almíbar de limón

Preparación
Batir la mantequilla con el azúcar hasta que esté cremosa, agregar los huevos y seguir batiendo hasta incorporarlos totalmente a la preparación, agregar una cucharada sopera de mermelada de grosellas negras y el zumo de limón y batir. Luego agregar la harina tamizada en tres tandas, mezclando hasta que quede totalmente integrada.

Cubrir la base de los moldes de cupcakes con masa, colocar una cucharadita de té de mermelada de grosellas negras en el centro y cubrirlos con más masa hasta las ¾ partes del molde. Hornear a 180º durante 20 minutos. Apenas hayan salido del horno pincelarlos enseguida con el almíbar de limón.

Cubierta de crema de chocolate con leche y violetas

Ingredientes
300 g de chocolate con leche
90 g de nata espesa
10 gotas de aceite esencial comestible de violetas o
1 cucharadita de té o 5 g de esencia natural de violetas

Preparación
Poner a derretir el chocolate en el microondas a temperatura mínima durante 3 o 4 minutos, o derretirlo al baño María.

Calentar la crema hasta que hierva. Antes de incorporarla al chocolate revolver un rato para que no esté muy caliente. Con un batidor de alambre mezclar el chocolate con la nata hasta que estén bien unidos y continuar batiendo hasta que la mezcla adquiera una textura lisa y brillante. Incorporar el aceite esencial de violetas o la esencia de violetas y seguir batiendo hasta que la mezcla esté cremosa.

Dejar enfriar durante 24 horas dentro de un recipiente plástico hermético a temperatura ambiente y montar la ganache *(véase pág. 192)* con una batidora eléctrica hasta que adquiera una textura suave y cremosa. Poner la crema en una manga pastelera con una boquilla rizada y utilizar.

Paso a paso

Ingredientes

Pasta de goma de color violeta (150 g aprox.)
Mantequilla
Colorante alimentario en polvo color violeta oscuro
Non Pareils color violeta

Materiales

Moldes de cupcakes plateados de dos tamaños:
Cupcake y minicupcake
Rodillo
Cortador de flores nomeolvides
Pincel
Esponja
Huevera de plástico
Bolsa de plástico
Manga pastelera
Boquilla rizada de estrella

1 Sobre una superficie ligeramente engrasada con mantequilla o margarina, estirar pasta de goma muy delgada, de aproximadamente 1 mm de grosor y con el set cortador de nomeolvides cortar 5 flores grandes, 3 medianas y 4 pequeñas.

2 Colocar cada flor sobre una esponja y con la parte posterior de un pincel o con una esteca estriada presionar en el centro para hacer un agujero.

3 Poner a secar las florecillas dentro de la huevera para que tomen forma curvada. Con un pincel fino bien impregnado con un poco de colorante en polvo, quitando el exceso de polvo en un papel de cocina, pintar solo el centro de la flor.

4 Para terminar, utilizar una manga pastelera con una boquilla rizada llena de la crema de chocolate para realizar la cubierta de los cupcakes *(véase pág. 197)*. Montar el minicupcake sobre el cupcake grande haciendo una suave presión para que quede pegado y luego disponer las flores de azúcar de la forma en que se ve en la foto, las cuales se pegarán fácilmente sobre la crema de chocolate. Inmediatamente tirar una pequeña cantidad de Non Pareils violetas sobre los cupcakes.

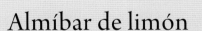

Almíbar de limón

Mezclar en una olla 50 g de zumo de limón, 50 g de agua y 100 g de azúcar, y calentar revolviendo hasta que la mezcla esté por hervir. En ese momento dejar de revolver para evitar que el azúcar se cristalice, llevar a ebullición y retirar enseguida del fuego. Dejar entibiar el almíbar y guardarlo inmediatamente en la nevera en un recipiente de plástico con cierre hermético hasta el momento de usar.

TIP

Los Non Pareils (pequeñas perlitas de azúcar) vienen en una limitada cantidad de colores y es muy difícil encontrar bonitos tonos pastel. Yo generalmente creo mis propios colores de Non Pareils de la siguiente forma: colocar Non Pareils blancos dentro de una bolsa de plástico, agregar dentro de la bolsa una pequeña cantidad de colorante alimentario en polvo, cerrar la bolsa y agitar enérgicamente la bolsa hasta que los Non Pareils hayan tomado color, luego guardarlos en un pequeño recipiente de plástico.

Cebra Cupcakes

De diseño monocromo y con un sello fashion, estos cupcakes están inspirados en la sofisticación de las pasarelas de moda, e impactarán en la mesa de quienes adoran el minimalismo. ¿El sabor de los cupcakes? Cosmopolitan ... igual de estiloso por supuesto.

Cebra Cupcakes

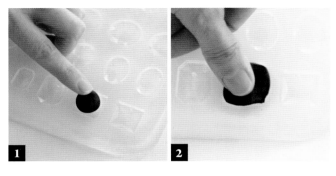

1 Para realizar el lazo negro con joya, comenzar amasando pasta de goma negra, y formar una pequeña bolita e introducirla en la cavidad del molde de joya con forma cuadrada.

2 Presionar con el dedo para que se marque y retirar suavemente la pasta del molde.

3 Recortar con una tijera el exceso de pasta.

4 Dejar secar por lo menos durante 20 minutos.

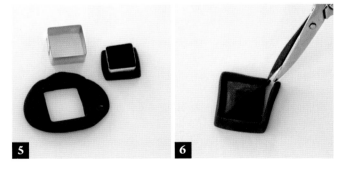

5 Estirar pasta de goma negra de aproximadamente 0,5 cm de espesor y con el cortador cuadrado mediano cortar una pieza; luego con el cortador cuadrado pequeño cortar el centro y quitarlo.

6 Cortar el cuadrado en un extremo, como se muestra en la foto, y pegar con pegamento comestible, alrededor de la joya anteriormente preparada.

Paso a paso

Ingredientes
Fondant blanco (500 g aprox.)
Fondant color negro (100 g aprox.)
Pasta de goma color negro (300 g aprox.)
Pegamento comestible
Barniz comestible
(edible confectionery varnish)

Materiales
Cortador de rombo
Cortadores cuadrados mediano y pequeño
Molde de joyas de silicona
Esteca cuchillo
Rodillo
Pincel
Tijera

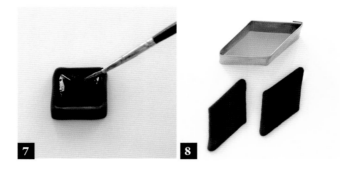

7 Pintar la joya con el barniz comestible, esperar cinco minutos y volver a dar una segunda mano de barniz. Si se desea que la joya tenga un brillo más intenso se puede repetir la operación un par de veces más, siempre esperando que seque cada mano antes de aplicar la siguiente.

8 En una superficie ligeramente engrasada con mantequilla o margarina, con el rodillo estirar pasta de goma color negra de aproximadamente 2 mm de espesor y con el cortador de rombo cortar dos piezas.

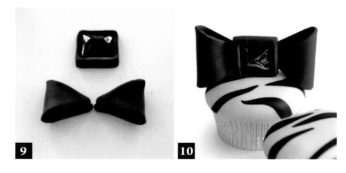

9 Doblar los rombos de pasta de goma negra por la mitad, como se muestra en la foto, y con pegamento comestible pegar sobre estos la joya previamente preparada. Dejar secar el lazo en una superficie plana por lo menos 1 hora antes de colocarlo sobre el cupcake.

10 Una vez que el lazo esté seco, para pegarlo sobre el cupcake, hacer una pequeña bolita negra de pasta de goma a modo de perla y pegarla aproximadamente en el centro del cupcake y luego pegar con pegamento comestible el lazo a la perla. También pincelar una pequeña cantidad de pegamento sobre la base del centro del lazo.

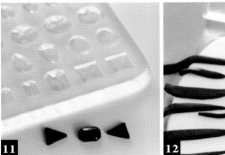

11 Para hacer el pequeño lacito que va en los otros cupcakes simplemente realizar con pasta de goma negra otra joya, esta vez más pequeña y de forma rectangular, pintarla con barniz comestible para que tenga brillo y luego, con el cortador de rombos, cortar una pieza. Con una tijera cortar el ángulo superior e inferior del mismo formando dos triángulos iguales y pegarlos a ambos lados de la joya directamente sobre el cupcake.

12 Para realizar la cubierta de fondant de cebra, en una superficie ligeramente engrasada con mantequilla o margarina estirar con un rodillo fondant blanco de aproximadamente 1 cm de grosor y levantar cuidadosamente la pasta para volver a engrasar la mesa, para evitar que luego se pegue. Cubrir con una bolsa de plástico el fondant para que no se seque. Por otra parte, estirar fondant color negro de no más de 3 mm de espesor y con una esteca de plástico de cuchillo cortar tiras terminadas en punta, disponer estas tiras inmediatamente sobre el fondant blanco creando el diseño de cebra, como se muestra en la foto. Luego pasar el rodillo primero en una dirección y luego en la dirección contraria de modo que las pastas queden completamente integradas creando así el estampado de cebra. Finalmente, con un cortador de círculo cuyo diámetro deberá ser de un par de centímetros más grande que el diámetro del cupcake, cortar las piezas necesarias para cubrirlos. Tomar una pieza y cubrir realizando un suave masaje en los extremos para que quede bien adherida al cupcake, que tendrá que estar previamente pincelado con un almíbar de albaricoque *(véase pág. 200)*.

Receta

Cupcakes Cosmopolitan

Soy una experta en coctelería y me encanta crear recetas con mis cócteles favoritos y con los de mi propia invención. Este sabor es uno de los más pedidos en Cakes Haute Couture, y en un cupcake resulta tan sofisticado y delicioso como el cóctel creado en Estados Unidos en la década de los 80.

Ingredientes (para 12 cupcakes aprox.)
200 g mantequilla ablandada
200 g azúcar
Ralladura de un limón
2 cucharadas soperas de cóctel Cosmopolitan
(véase página siguiente)
310 g de harina tamizada
4 huevos medianos
Arándanos frescos
Almíbar de cóctel Cosmopolitan

Preparación
Batir la mantequilla con el azúcar hasta que esté cremosa, agregar los huevos y seguir batiendo hasta incorporarlos totalmente a la preparación, agregar la ralladura de limón y el cóctel Cosmopolitan. Luego agregar la harina tamizada en tres tandas, mezclando hasta que quede totalmente integrada.

Cubrir la base de los moldes de cupcakes con masa, colocar tres arándanos frescos en el centro y cubrirlos con más masa hasta las ¾ partes del molde. Hornear a 180º durante 20 minutos. Apenas hayan salido del horno pincelarlos enseguida generosamente con el almíbar de cóctel Cosmopolitan.

Cóctel Cosmopolitan

Ingredientes
3 partes de vodka
2 partes de triple seco
2 partes de zumo de arándanos
1 parte de zumo de limón

Preparación
La forma de preparar el cóctel Cosmopolitan es agregar primero el vodka en un vaso grande contando hasta tres mientras se vierte la bebida; luego agregar el licor triple seco contando durante dos segundos; seguir con el zumo de arándanos también contando hasta dos y terminar con una parte de zumo de limón. Mezclar con una cuchara y usarlo en las cantidades que indica la receta. Lo que sobra se utilizará para hacer el almíbar de Cosmopolitan con el que se humedecerán los cupcakes.

Almíbar de Cosmopolitan

Agregar en una olla el cóctel Cosmopolitan, reservando tres cucharadas soperas del mismo aparte, agregar 3 cucharadas soperas de azúcar y calentar revolviendo hasta que la mezcla esté por hervir y dejar de revolver para evitar que el azúcar se cristalice. En cuanto empiece a hervir retirar inmediatamente del fuego. Dejar entibiar el almíbar, agregarle las tres cucharadas soperas de cóctel que se habían reservado y guardarlo inmediatamente en la nevera en un recipiente plástico con cierre hermético hasta el momento de usar.

Dulce
Frambuesa

La deliciosa crema rosa de frambuesas y las mariposas
de azúcar confieren una imagen de alegría y celebración,
logrando unos cupcakes muy festivos tanto para cumpleaños
de niñas como para cualquier otra fiesta de chicas.

Receta

Cupcakes de frambuesa y limón

Ingredientes (para 12 cupcakes aprox.)
200 g mantequilla ablandada
200 g azúcar
Ralladura de un limón no tratado químicamente
1 cucharada sopera de zumo de limón
300 g de harina tamizada
4 huevos medianos
12 frambuesas enteras
Almíbar de limón

Preparación
Batir la mantequilla con el azúcar hasta que esté cremosa, agregar los huevos y seguir batiendo hasta incorporarlos totalmente a la preparación. Agregar la ralladura de limón y el zumo. Luego agregar la harina tamizada en tres tandas, mezclando hasta que quede totalmente integrada.

Cubrir la base de los moldes de cupcakes con masa, colocar una frambuesa en el centro y cubrirlos con más masa hasta las ¾ partes del molde. Hornear a 180º durante 20 minutos. Apenas hayan salido del horno pincelarlos enseguida con el almíbar de limón.

Almíbar de limón

Mezclar en una olla 50 g de zumo de limón, 50 g de agua y 100 g de azúcar, y calentar revolviendo hasta que la mezcla esté por hervir. Entonces dejar de revolver para evitar que el azúcar se cristalice, llevar a ebullición y retirar enseguida del fuego. Dejar entibiar el almíbar y guardarlo inmediatamente en la nevera en un recipiente de plástico con cierre hermético hasta el momento de usar.

4

5

Paso a paso

Ingredientes
Pasta de goma color blanco (50 g aprox.)
Pasta de goma color rosa (50 g aprox.)

Materiales
Cortador pequeño de mariposa
Boquilla rizada grande
Boquilla redonda N.º 10
Manga pastelera
Rodillo
Hoja A4 de cartulina

1 Para realizar las mariposas, estirar con un rodillo pasta de goma color blanca de aproximadamente 3 mm de grosor en una superficie previamente engrasada con mantequilla o margarina. Una vez estirada la pasta levantar y volver a engrasar la mesa. Tapar con una bolsa de plástico para que la pasta no se seque. Estirar por otra parte la pasta de goma rosa y cortar pequeños círculos con la punta de una boquilla N.º 10 y disponer esos círculos sobre la pasta estirada blanca.

2 Pasar el rodillo sobre la pasta con los pequeños círculos ya dispuestos, primero en una dirección (los círculos quedarán ovalados) y luego en dirección contraria y los círculos recuperarán su forma quedando integrados a la pasta.

3 Con el cortador de mariposa cortar varias piezas y dejar secar sobre la cartulina plegada *(véase pág. 87)*, durante 24 h.

4 Para cubrir los cupcakes, llenar una manga pastelera con la crema de frambuesas utilizando una boquilla rizada grande.

5 Desde la parte externa del cupcake trazar un círculo que termine en el centro del cupcake.

6 Dejar de presionar la manga y levantar la boquilla.

7 Luego hacer con la manga un círculo desde el centro del cupcake terminando hacia arriba como se muestra en las fotos.

Crema suiza de mantequilla de frambuesa

Ingredientes (para 20 cupcakes aprox.)

550 g de azúcar
280 g de clara de huevo pasteurizada
550 g de mantequilla a temperatura ambiente
1 cucharadita de postre de cremor tártaro
o 5 g de goma xantana
80 g de puré de frambuesas colado, sin semillas
y concentrado (*véase pág. 194*)

Nota:
El puré de frambuesas se puede usar sin
concentrar, pero el sabor de las frambuesas será
muy sutil. Se puede ayudar a intensificar el sabor
agregándole una cucharada sopera de licor de
frambuesas o una cucharadita de té de esencia
natural de frambuesas.
Mi preferencia es agregarle 10 o 20 g
(1 o 2 cucharadas soperas) de frambuesas
liofilizadas en polvo, que intensifica mucho el
sabor de frambuesa en la crema.

Preparación
En un bol batir con batidora eléctrica, hasta que estén
mezclados, los huevos y el azúcar. Poner el bol a baño
María revolviendo constantemente con un batidor de
alambre, hasta que los cristales del azúcar se disuelvan
por completo (se disuelven a 55º C pero no es
necesario medirlo con un termómetro, se puede
comprobar tocando la preparación y levantando el
batidor dejando caer un poco de clara, y cuando no se
note más el grano de azúcar significa que este ya se ha
disuelto). Llevar la preparación a la nevera hasta que
tome temperatura ambiente.

Luego, poner las claras con el azúcar en la batidora
durante 10 minutos a máxima velocidad hasta que el
merengue esté bien montado. Incorporar el cremor
tártaro o la goma xantana. Cambiar el batidor por la
pala (Ka) y comenzar a incorporar la mantequilla de
a un cubo por vez y mezclar a velocidad mínima.
Finalmente agregar el puré de frambuesas de a poco
y seguir mezclando a velocidad mínima hasta que la
mezcla esté bien cremosa. Si se quiere intensificar el
sabor de la frambuesa agregar 10 o 20 g de frambuesa
liofilizada en polvo. Usar enseguida para decorar los
cupcakes utilizando una manga pastelera con una
boquilla rizada grande.

Nota:
La batidora solo se usa para montar el merengue.
Si no se tiene un robot de cocina con pala (Ka)
mezclar manualmente con una espátula, ya que de
hacerlo con la batidora la crema se cortaría.

Golden Snowflakes

Los cupcakes siempre llaman la atención en cualquier celebración, pero estos de tres pisos se convertirán en la pieza central de la mesa. Los brillantes copos de nieve de oro de la decoración los hacen geniales para una mesa de Navidad o para ofrecerlos en cualquier celebración invernal muy glamurosa.

Cupcakes de chocolate

Estos cupcakes de chocolate cubiertos con crema de chocolate de fruta de la pasión son uno de los grandes best sellers de Cakes Haute Couture, y de todos mis sabores gourmet también es uno de mis favoritos. El toque ácido de la fruta de la pasión se conjuga a la perfección con la suavidad del chocolate con leche y con el bizcocho de chocolate húmedo y fundente que es un deleite para el paladar.

Ingredientes (para 4 cupcakes de 3 pisos aprox.)
100 g de mantequilla ablandada
100 g de azúcar
80 g de chocolate negro
2 huevos
25 g de almendras molidas
100 g de harina tamizada
1 cucharadita de levadura química en polvo

Preparación
Batir la mantequilla con el azúcar hasta que la mezcla esté cremosa. Incorporar los huevos de uno en uno y seguir batiendo. Agregar las almendras molidas y mezclar. Derretir el chocolate en el microondas a temperatura mínima, y una vez derretido incorporarlo a la mezcla. Mezclar la harina con la levadura, tamizar e incorporar en dos tandas mezclando hasta que quede integrada a la preparación. Colocar la masa en moldes de papel de cupcakes llenándolos hasta las ¾ partes. Hornear durante 20 minutos aproximadamente a 180º C.

Receta

Crema de chocolate y fruta de la pasión

Ingredientes

300 g de chocolate cobertura con leche
50 g de nata espesa
50 g de pulpa de fruta de la pasión (*)
1 cucharada de fruta de la pasión liofilizada
en polvo (opcional)
Para 12 cupcakes de 3 pisos hacer 2 fórmulas
de crema

*(*) Se puede utilizar pulpa de fruta de la pasión
congelada, o usar los frutos de la pasión. Para
separar la pulpa de las semillas cortar el fruto por
la mitad. Con una cuchara sacar la pulpa y
semillas y ponerlas en una licuadora, presionar
el botón de la licuadora solo ½ segundo, parar y
volver a presionar el botón otro ½ segundo, (esto
hace que la pulpa de consistencia viscosa y muy
adherida a las semillas se suelte de estas sin que las
semillas se rompan); no presionar el botón de la
licuadora más tiempo ya que si no las semillas se
romperían y sería muy difícil luego colar el zumo.
Finalmente pasar todo por un colador chino.*

Preparación

Poner a derretir el chocolate en el microondas
a temperatura mínima durante 3 o 4 minutos,
o derretirlo a baño María.

Calentar la crema hasta que hierva. Antes de
incorporarla al chocolate revolver un rato para
que no esté demasiado caliente. Con un
batidor de alambre mezclar el chocolate con la
nata hasta que estén bien unidos y continuar
batiendo hasta que la mezcla adquiera una
textura lisa y brillante. Incorporar la pulpa de
fruta de la pasión y seguir batiendo hasta que
la mezcla esté cremosa. Dejar enfriar durante
24 h dentro de un recipiente plástico
hermético a temperatura ambiente y montar
la ganache con una batidora eléctrica hasta
que adquiera una textura suave y cremosa.
Poner la crema en una manga pastelera con
una boquilla rizada y utilizar.
Ganache *(véase pag. 192)*.

Paso a paso

Ingredientes
Pasta de goma de color amarillo (50 g aprox.)
Mantequilla
Purpurina comestible color oro

Materiales
Rodillo
Perforador de papel (paper punch) de copo de nieve
(de venta en papelerías)
Pincel
Moldes de cupcakes dorados de tres tamaños:
Muffin, cupcake (o bun case) y minicupcake.
Boquilla rizada grande
Manga pastelera

Preparación

1 Engrasar ligeramente la mesa con mantequilla y con un rodillo estirar pasta de goma de color amarillo muy delgada, aproximadamente de 0,5 mm de espesor, ya que si la pasta está muy gruesa no pasará por la abertura del perforador. Una vez estirada la pasta dejarla secar al aire unos 5 min y luego insertar la pasta estirada en el perforador, presionar y saldrá el copo de nieve cortado, repetir para sacar la cantidad deseada.

2 Colocar un poco de mantequilla en un bol y derretirla en el microondas hasta que quede líquida y pincelar con ella cada uno de los copos de nieve.

3 Colocar en otro bol la purpurina comestible color oro y rebozar los copos de nieve, sacudir el exceso y dejarlos secar en una superficie plana.

4 Finalmente, utilizar una manga pastelera con una boquilla rizada llena de la crema de chocolate para realizar la cubierta de los cupcakes *(véase pág. 197)*. Una vez cubiertos los tres tamaños de cupcakes (grande, mediano y mini) con chocolate, disponerlos uno encima del otro, presionando levemente para que queden pegados, empezando por el tamaño grande abajo, el mediano en el centro y el mini arriba. Para terminar, colocar los copos de nieve de oro que se pegarán fácilmente por contacto con la crema de chocolate.

TIP

Hacer siempre el batido final de la crema de chocolate y de cualquier crema mezclando suavemente con una cuchara grande para sacarle las burbujas; de esta forma el trazo con la manga sale sin las irregularidades producidas por las burbujas de aire que pudieran quedar en la crema.

Baby Chocolate

Un sabor suave y delicado complementado con un adorable cochecito de azúcar. Estos cupcakes de diseño tierno y sabor irresistible no pueden faltar si planeas un baby shower, una bienvenida para el bebé o un bautizo.

Receta

Cupcakes de chocolate con leche y vainilla

Los cupcakes de chocolate cubiertos con crema de chocolate con leche y vainilla son uno de los clásicos de mis sabores gourmet que despiertan pasiones y nunca faltan en las celebraciones infantiles.

Cupcakes de chocolate

Ingredientes (para 12 cupcakes aprox.)
112 g de chocolate
100 g de mantequilla
120 g de azúcar
4 huevos
75 g de harina

Preparación
Derretir en el microondas o a baño María el chocolate y la mantequilla juntos, mezclar bien y reservar. Aparte batir 4 yemas de huevo con el azúcar, luego agregar el chocolate derretido con la mantequilla y mezclar bien hasta que quede totalmente integrado.
Incorporar la harina tamizada de a poco y mezclar bien. Finalmente batir las 4 claras de huevo a punto de nieve e incorporarlas a la preparación mezclando suavemente con movimientos envolventes.

Llenar los moldes de los cupcakes hasta las ¾ partes y hornearlos durante 20 minutos a 180° C.

Crema de chocolate con leche y vainilla

Ingredientes
300 g de chocolate con leche
90 g de nata espesa
1 cucharadita de vainilla en polvo molida
o 1 cucharadita de esencia de vainilla.

Preparación
Derretir el chocolate en el microondas a temperatura mínima durante 3 o 4 minutos, o derretirlo a baño María.
Calentar la crema hasta que hierva, agregar la vainilla en polvo y antes de incorporarla al chocolate revolver un rato para que no esté demasiado caliente. Con un batidor de alambre mezclar el chocolate con la nata hasta que estén bien unidos y continuar batiendo hasta que la mezcla adquiera una textura lisa y brillante.
Si se utiliza esencia de vainilla, incorporarla en este momento y seguir batiendo hasta que la mezcla esté cremosa. Dejar enfriar durante 24 h dentro de un recipiente de plástico hermético a temperatura ambiente. Montar el ganache con una batidora eléctrica hasta que adquiera una textura suave y cremosa. Incorporar la crema a una manga pastelera con una boquilla rizada y utilizar.
Ganache (*véase pág. 192*).

Paso a paso

Ingredientes

Pasta de goma de color azul claro (80 g aprox.)
Mantequilla
Pegamento comestible
Perlas blancas de azúcar
Hojas de azúcar impresas con tinta comestible

Materiales

Rodillo
Rodillo texturizador de puntitos
Cortador pequeño de cochecito de bebé
Perforador de papel (*paper punch*) de flor pequeña
(de venta en papelerías)
Rueda marcadora de costuras
Pincel

1 Engrasar ligeramente la mesa con mantequilla o margarina y con un rodillo estirar pasta de goma de color azul claro de unos 3 mm de espesor. Levantar la pasta y volver a engrasar la mesa para que al pasar el rodillo texturizador la pasta no se pegue en la mesa. Pasar el rodillo texturizador ejerciendo bastante presión para que la pasta quede marcada con el diseño. Con el cortador de cochecito de bebé cortar las piezas necesarias.

2 Con la rueda marcadora realizar las costuras como se muestra en la foto, y con pegamento comestible pegar una perlita de azúcar en la intersección de las dos costuras.

3 Con el perforador cortar la cantidad necesaria de florecillas de papel de azúcar. Si no se usan inmediatamente deben ser guardadas en una bolsa de plástico con cierre hermético para evitar que se sequen.

4 Pegar una florecilla de papel de azúcar comestible en el centro de cada rueda del cochecito de bebé, pincelándolas ligeramente con pegamento comestible.

5 Finalmente, utilizar una manga pastelera con una boquilla rizada llena de la crema de chocolate para realizar la cubierta de los cupcakes (*véase pág. 197*) y colocar el cochecito de azúcar que se pegará fácilmente sobre la crema de chocolate.

Blue Lagoon Cocktail Cupcakes

El Blue Lagoon es un cóctel clásico creado en 1960 en el legendario Harry's New York Bar de París donde se crearon varios célebres cócteles como el Bloody Mary, el White Lady y el Sidecar, y desde su apertura en 1911 hasta la fecha nunca ha dejado de ser uno de los bares más emblemáticos de la noche parisina, que ha tenido como clientes a personalidades como Sartre, Hemingway y Coco Chanel entre otros.

Me encanta tomar este cóctel en las tardes de verano, y por supuesto en el Harry's Bar cuando estoy en París, por lo que no he podido resistir la tentación de crear estos cupcakes para acompañar a este maravilloso cóctel.

Blue Lagoon cupcakes

Estos cupcakes tienen todos los ingredientes del célebre cóctel:
vodka, Curaçao azul, pomelo y piña, una combinación deliciosamente perfecta.

Ingredientes (para 24 minicupcakes aprox.)
150 g de mantequilla
110 g de azúcar glasé
3 huevos
60 g de harina
55 g de maicena
1 cucharada de vodka
2 cucharadas de licor Curaçao azul
1 cucharadita de levadura en polvo
12 trozos pequeños de piña
Almíbar de Blue Lagoon

Preparación
Batir la mantequilla con el azúcar hasta que quede cremosa, agregar las yemas de los huevos y seguir batiendo, incorporar el vodka y el Curaçao azul.

Tamizar juntos la harina, la maicena y la levadura en polvo y agregar a la preparación anterior. Montar las claras a punto de nieve y agregarlas a la preparación anterior mezclando suavemente.

Verter la masa en los moldes de papel cubriendo solo la base, colocar un trozo de piña por cupcake y cubrir con el resto de la masa hasta ¾ partes de los moldes de papel.

Hornear durante 20 minutos a 180º. Inmediatamente después de sacarlos del horno, pincelarlos con el almíbar de Blue Lagoon: esto además de darle sabor a los cupcakes, los mantiene húmedos y frescos por más tiempo.

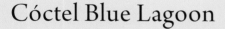

Cóctel Blue Lagoon

Ingredientes
3 partes de vodka
3 partes de Curaçao azul
4 partes de zumo de limón
Hielo
1 cuña de piña (decoración)

Preparación
En una coctelera con hielo agregar primero el vodka contando hasta tres mientras se vierte la bebida, luego agregar el Curaçao azul contando durante tres segundos y terminar con el zumo de limón contando hasta cuatro segundos. Agitar la coctelera y servir colando el hielo. Decorar con una cuña de piña.

Almíbar de Blue Lagoon

Agregar en una olla el cóctel Blue Lagoon (solo el vodka, el Curaçao y el zumo de limón, sin el hielo) reservando aparte tres cucharadas soperas del mismo. Agregar 4 cucharadas soperas de azúcar y calentar revolviendo hasta que la mezcla esté por hervir y dejar de revolver para evitar que el azúcar se cristalice. En cuanto empiece a hervir retirar inmediatamente del fuego. Dejar entibiar el almíbar, agregarle las 4 cucharadas soperas de cóctel que se habían reservado y guardarlo en seguida en la nevera en un recipiente de plástico con cierre hermético hasta el momento de usar.

Crema suiza de mantequilla Blue Lagoon

Ingredientes (para 20 cupcakes o 40 mini aprox.)
550 g de azúcar
280 g de clara de huevo pasteurizada
550 g de mantequilla a temperatura ambiente
1 cucharadita de postre de cremor tártaro
o 5 g de goma xantana
Ralladura de un limón (ecológico o no tratado
químicamente)
30 g de vodka
30 g de Curaçao azul
20 g de piña liofilizada en polvo (*)
Unas gotas de colorante en pasta o en gel color turquesa

Preparación

En un bol batir con batidora eléctrica, hasta que estén
mezclados, los huevos y el azúcar, poner el bol a baño María
revolviendo constantemente con un batidor de alambre hasta
que los cristales del azúcar se disuelvan por completo (se
disuelven a 55º C pero no es necesario medirlo con un
termómetro, se puede comprobar tocando la preparación y
levantando el batidor dejando caer un poco de clara y cuando
no se note más el grano de azúcar significa que este ya se ha
disuelto). Llevar el bol con la preparación a la nevera hasta
que tome temperatura ambiente.

Luego, poner las claras con el azúcar en la batidora durante
10 minutos a máxima velocidad hasta que el merengue esté
bien montado. Incorporar el cremor tártaro o la goma
xantana. Cambiar el batidor por la pala (Ka) y comenzar a
incorporar la mantequilla de a un cubo por vez y mezclar a
velocidad mínima. Finalmente agregar la ralladura de limón,
el vodka de a poco y luego el Curaçao azul. Seguir mezclando
a velocidad mínima hasta que la mezcla esté bien cremosa.
Finalmente incorporar la piña liofilizada en polvo y seguir
mezclando hasta que la preparación esté cremosa. Agregar el
colorante.

Nota: La batidora solo se usa para montar el merengue, si no
se tiene un robot de cocina con pala (Ka) mezclar
manualmente con una espátula ya que de hacerlo con la
batidora la crema se cortaría.

*(*) Las frutas liofilizadas conservan todas sus propiedades de sabor, color,
vitaminas y nutrientes y son de rápida rehidratación. Se pueden comprar
en proveedores de pastelería y gastronomía (véase listado de proveedores).*

Paso a paso

Materiales
Fondant blanco (30 g aprox.)
Colorante alimentario en polvo color blanco perlado
Perlitas de azúcar color plata
Manga pastelera
Adaptador de plástico para boquilla
Boquilla rizada mediana

1 En una manga pastelera con boquilla rizada mediana
agregar la crema Blue Lagoon, apoyar la boquilla en el
cupcake de forma horizontal a 2 cm del borde y presionar sin
mover de posición hasta que la crema llegue hasta el borde
externo del cupcake. Luego estirar suavemente hacia el centro
del mismo aflojando la presión de forma que se forme una
gota, repetir este procedimiento hasta completar el contorno
del cupcake. Para terminar, casi sin apoyar la boquilla,
colocándola de forma perpendicular, presionar hasta formar
otra gota. Hacerlas en la intersección de las anteriores hasta
cerrar el círculo.

2 Para hacer la joya del centro del cupcake, hacer bolitas de
fondant blanco de 1 cm de diámetro y meterlas dentro de una
bolsa de plástico con un poco de colorante perlado en polvo,
cerrar la bolsa y agitar enérgicamente. Colocar cada perla en el
centro del cupcake y luego disponer alrededor perlitas
pequeñas plateadas de azúcar, utilizando, si es necesario, un
palillo para ubicarlas bien.

Botones

Estos cupcakes en
suaves colores pastel son ideales
para un baby shower, un bautizo o un
primer cumpleaños. Este diseño con una
rosa en espiral de merengue y adornado
con botones de azúcar le dará a la mesa
un estilo dulce pero a la vez
muy contemporáneo.

Receta

Lemon pie cupcakes

El Lemon Pie es un sabor clásico que trasladado a los cupcakes no pierde nada de su deliciosa textura y sabor en esta combinación perfecta de un bizcocho esponjoso al limón con un relleno ácido de crema de limón equilibrado por el dulzor y suavidad del merengue italiano.

Cupcakes de limón

Ingredientes (para 12 cupcakes aprox.)
80 g de mantequilla ablandada
220 g de azúcar
2 huevos
130 g de harina tamizada
3 cucharadas de zumo de limón y ralladura de un limón
1 cucharada o 10 g de levadura en polvo

Preparación
Batir la mantequilla con el azúcar hasta que la mezcla esté cremosa. Agregar la ralladura de limón, incorporar los huevos y seguir batiendo. Mezclar la harina con la levadura, tamizar e incorporarla de a poco alternando con el zumo de limón. Colocar la masa en moldes de papel de cupcakes llenándolos hasta las ¾ partes. Hornear durante unos 20 minutos a 180° C.

Cubierta de merengue italiano

Ingredientes
6 claras de huevo
140 ml de agua
500 g de azúcar

Preparación
Montar las claras a punto de nieve con una batidora eléctrica, mezclar en una olla el azúcar con el agua, llevar al fuego y revolver hasta que se disuelva el azúcar con el agua, dejar de revolver antes de que comience a hervir (nunca se debe revolver un almíbar cuando hierve porque se cristaliza). Cuando comience a hervir introducir un termómetro para caramelo y cuando alcance la temperatura de 120° C retirar del fuego y verterlo de a poco en las claras montadas a punto de nieve sin dejar de batir. Seguir batiendo a velocidad máxima durante unos 15 minutos hasta que el merengue se entibie y utilizar inmediatamente.

El merengue tiene su punto óptimo recién hecho; no obstante, podría guardarse hasta un día y volver a batir antes de usar, pero no queda con tan buena textura como recién hecho.

Crema de limón

Ingredientes
4 yemas de huevo
100 g de azúcar
75 ml de zumo de limón
1 sobre de gelatina neutra en polvo
3 cucharadas de agua
4 claras de huevo
100 g de azúcar

Preparación
Mezclar las yemas, el azúcar y el zumo de limón y batir a baño María hasta que tome consistencia cremosa. Hidratar la gelatina con el agua e incorporarla a la preparación anterior, y batir hasta que quede bien integrada.

Con las 4 claras de huevo y 100 g de azúcar hacer un merengue y agregarlo a la crema anterior mezclando con movimientos suaves. Enfriar en la nevera durante 1 hora antes de usar.

Paso a paso

Ingredientes

Colorantes alimentarios azul
claro y amarillo huevo
Pasta de goma de color azul
claro (50 g aprox.)
Pasta de goma de color
amarillo huevo claro
(50 g aprox.)
Mantequilla

Materiales

Rodillo
Boquilla Wilton N.º 2D
Manga pastelera
Botón
Pincel

1 Para hacer los botones de azúcar, engrasar ligeramente la
mesa con mantequilla o margarina, y con un rodillo estirar
pasta de goma de color azul claro por un lado y pasta de goma
color amarillo claro por el otro de aproximadamente 1 cm de
espesor. Luego, con la parte posterior de la boquilla pastelera
cortar tantos círculos como se necesiten.

2 Con el botón presionar firmemente sobre el círculo de
pasta de goma y marcar.

3 Con la parte del mango de un pincel fino realizar los
agujeros del botón en el sitio en que hayan quedado marcados
y dejar secar por lo menos 20 minutos antes de colocar los
botones sobre los cupcakes.

4 Para rellenar los cupcakes con la crema de limón, perforar
con un cuchillo el cupcake en forma circular o quitarle un
trozo con un descarozador de manzanas, cortar todo el
sobrante de masa dejando solo una tapita y luego rellenar
el hueco del cupcake con la crema de limón y tapar con la
tapita de masa *(véase pág. 190).*

5 Dividir el merengue en dos bols distintos y colorear uno
de color azul celeste y otro de amarillo claro. Incorporar el
merengue a una manga pastelera con la boquilla N.º 2D de
Wilton. Para cubrir el cupcake con la rosa en espiral, colocar
la manga pastelera en el centro del cupcake de forma
perpendicular, presionar y en cuanto salga el merengue
comenzar a trazar una espiral en el sentido de las agujas
del reloj.

6 Al llegar al borde del cupcake realizar un movimiento hacia
abajo con la manga pastelera para terminar la rosa en espiral
de merengue, tal como se muestra en la foto.

7 Finalmente con el cupcake terminado adherir suavemente
el botón de azúcar sobre el merengue en el lateral.

TIP

Para que la rosa de merengue
quede bien marcada, al trazar la
espiral sobre el cupcake realizar el
movimiento circular con la manga
pastelera siempre hacia arriba,
nunca tocando la superficie
del cupcake.

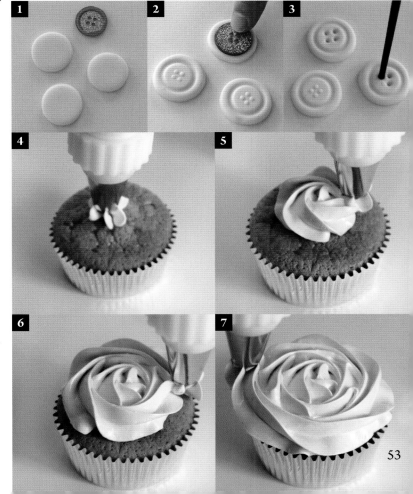

Flores de boda
Patricia
Le signature

En mi taller siempre estoy rodeada de maravillosas telas y encajes que me traen las novias para que plasme detalles de sus vestidos en el pastel nupcial. Realmente me apasiona hacer pasteles y mesas dulces para las bodas, y los vestidos de novia de los diseñadores de alta costura son una gran fuente de inspiración para mí.

Para esta mesa de dulces he creado unos cupcakes decorados con mi exclusivo diseño de flores de azúcar que reproducen bordados y flores de tela que podrían aplicarse a un vestido de novia.

Para que una mesa de dulces de una boda resulte asombrosa y sea inolvidable, al planearla y diseñarla es fundamental tener en cuenta tres principios: El primero es que debe tener un concepto definido que armonice con el estilo de la fiesta. Segundo, tiene que llamar la atención, lo cual se logra incorporando elementos de distintas alturas en la mesa, usando pedestales y cake stands para ofrecer pasteles delicadamente decorados, y finalmente, los dulces que se ofrezcan deben ser deliciosos y en tamaños pequeños.

Receta

Cupcakes de pistacho y cerezas

Estos cupcakes crujientes pero a la vez muy húmedos y con un corazón de cerezas son verdaderamente irresistibles. Si no es época de cerezas se pueden reemplazar por guindas en almíbar. La guinda es un tipo de cereza silvestre ácida que normalmente se consume en almíbar.

Ingredientes (para 12 cupcakes aprox.)
110 g de mantequilla a temperatura ambiente
110 g de azúcar
2 huevos
55 g de pistachos molidos
100 g de harina
1 cucharadita de levadura en polvo
2 cucharadas de leche
12 cerezas deshuesadas

Preparación
Batir la mantequilla junto con el azúcar hasta que esté cremosa. Agregar los huevos uno a uno y seguir batiendo. Incorporar los pistachos previamente molidos con una procesadora o picadora, y mezclar.

Agregar la levadura en polvo a la harina, mezclar y tamizar. Incorporar la harina de a poco a la preparación mezclando bien y alternando con las 2 cucharadas de leche.

Verter la preparación en cada una de las capsulas de papel de cupcakes cubriendo apenas el fondo. Colocar una cereza y cubrir con el resto de la masa hasta ¾ partes del molde.

Precalentar el horno durante 15 minutos y hornear a 180º C durante 20 minutos.

He diseñado esta mesa de dulces incorporando en los cupcakes las flores de mi creación, reproduciendo bordados en azúcar que imitan a los de los vestidos de novia. He dibujado con glasa real un monograma con las iniciales de los novios y detalles de las invitaciones de boda en las campanas de cristal, creando así un efecto increíblemente original para captar la atención de los invitados.

Paso a paso

Ingredientes
Fondant blanco (500 g aprox.)
Pasta de goma blanca (250 g aprox.)
Pegamento comestible
Colorante alimentario en polvo blanco perlado
Perlas de azúcar color plata de 2 mm y de 4 mm
Glasa real blanca
Pegamento comestible

Materiales
Cortador de margaritas
(set de 3 cortadores, grande, mediano y pequeño)
Cortador de flor pequeña de 6 pétalos
Cortador de flor pequeña de 8 pétalos
Esteca cuchillo
Bolillo
Rodillo
Tapete grueso de goma EVA (*flower pad*)
Huevera de plástico
Pincel fino
Pincel grueso (tipo brocha de maquillaje)
Tijera

1 Para realizar las flores, primero se deberán hacer las bases en las que se pondrán a secar para que tomen forma. Con un trozo de papel de aluminio hacer una bola de unos 10 cm de ancho y ahuecarla como se muestra en la foto. Luego cortar otro trozo de papel de aluminio y forrar toda la superficie para quitarle el aspecto rugoso, hacer tantas bases como flores se realicen.

2 En una superficie ligeramente engrasada con mantequilla o margarina, con el rodillo estirar pasta de goma blanca hasta que tenga unos 2 mm de espesor y con el cortador de margaritas grande cortar una pieza, y luego con el cortador de margaritas mediano cortar otra.

3 Colocar la flor sobre el tapete de goma y con un bolillo presionar sobre cada pétalo para afinarlo.

4 Doblar cada uno de los pétalos hacia el centro de la flor como se muestra en la foto, y con la esteca cuchillo hacer una suave presión en el centro de cada pétalo doblado para marcarlo.

5 Proceder de la misma forma con la margarita mediana.

TIP

Para realizar los dibujos que decoran las campanas de cristal se utiliza glasa real blanca con una boquilla N.º 1. Primero dibujar en papel el diseño que se quiera realizar y pegarlo del lado interno de la campana de cristal, eso servirá de guía, una vez terminado el dibujo con glasa real despegar el papel y dejar secar un par de horas.

6 Pegar con pegamento comestible la flor mediana sobre la grande y presionar ligeramente en el centro con la parte posterior del pincel.

7 Para terminar, con pegamento comestible pegar una perlita de azúcar plateada de 4 mm en el centro. Para hacer estas flores más pequeñas realizar el mismo procedimiento pero usando los cortadores de margarita mediano y pequeño.

8 Para hacer otras variantes de esta flor, hacer varios cortes verticales sobre cada uno de los pétalos como se muestra en la foto.

9 Para hacer las florecillas pequeñas, con el rodillo estirar pasta de goma blanca de aproximadamente 2 mm de espesor sobre una superficie ligeramente engrasada con mantequilla o margarina, y con los cortadores de florecillas pequeñas de seis y ocho pétalos cortar varias piezas. Marcar el centro presionando con un bolillo y ponerlas a secar dentro de una huevera de plástico, para que tomen forma curvada. Otra variante de estas flores es cortar tres piezas de florecillas y con una tijera hacer varios cortes en cada pétalo, como si fuesen flecos; luego pegarlas con pegamento comestible, una sobre

otra superpuestas, y para terminar pegarles perlitas plateadas de 2 mm en el centro.

10 Para realizar la cubierta de fondant del cupcake, en una superficie ligeramente espolvoreada con azúcar glasé estirar con un rodillo fondant blanco de aproximadamente 3 mm de grosor. Con un cortador de círculo, cuyo diámetro deberá ser de un par de centímetros más grande que el diámetro del cupcake, cortar las piezas necesarias para cubrirlos. Tomar una pieza y cubrir realizando un suave masaje en los extremos para que quede bien adherida al cupcake, que tendrá que estar previamente pincelado con un almíbar de albaricoque. Una vez que el cupcake esté cubierto con el fondant, con un pincel grueso tipo brocha de maquillaje y colorante en polvo perlado, pincelar toda la cubierta del cupcake para que quede perlado (*véase pág. 200*).

11 Para finalizar, pegar las flores de azúcar a los cupcakes, pincelándolas con pegamento comestible y adhiriéndolas con una suave presión si el fondant está fresco, y si el fondant se ha secado pegar las flores con una gotita de glasa real.

Hortensias

Mis cupcakes de zanahoria y naranja sin especias, son tan deliciosos, frescos y húmedos que son absolutamente irresistibles, y decorarlos como si fuesen hortensias es mucho más sencillo de lo que parece.

Cupcakes de zanahoria y naranja con mascarpone de vainilla

Ingredientes (para 16 cupcakes aprox.)

170 g de mantequilla ablandada

170 g de azúcar moreno

3 huevos

Zumo y ralladura de 2 naranjas no tratadas químicamente

265 g de zanahorias ralladas

40 g de nueces finamente picadas

200 g de harina

2 cucharaditas de levadura en polvo

Zumo de 3 naranjas (para el almíbar)

Preparación

Batir la mantequilla con el azúcar hasta que esté cremosa. Agregar los huevos enteros ligeramente batidos y la ralladura de naranja, y seguir batiendo. Apretar sobre un colador las zanahorias ralladas para quitarles el exceso de líquido e incorporarlas a la preparación mezclando. Agregar las nueces molidas y mezclar. Mezclar juntos la harina y la levadura en polvo y tamizar. Incorporarla de a poco a la preparación, mezclando y alternando con el zumo de naranja.

Llenar los moldes de cupcakes con la masa hasta las ¾ partes. Hornear a 180° durante 25 minutos. Apenas hayan salido del horno pincelarlas con el almíbar de naranja.

Crema de mascarpone de vainilla

Ingredientes

250 g de mascarpone

180 g de azúcar

1 cucharadita de esencia natural de vainilla incolora

Colorante alimentario en gel o en pasta color violeta y lila

Preparación

Quitar todo el suero o líquido que pudiera tener el mascarpone, agregarle el azúcar glasé tamizado de a poco y batir con batidora eléctrica a velocidad máxima hasta que la preparación esté cremosa. Incorporar la esencia de vainilla y batir. Dividir la crema en dos partes y teñir una de las partes con el colorante alimentario en pasta lila, mezclando suavemente; y teñir la otra parte con colorante violeta. Reservar una pequeña cantidad (2 cucharadas aproximadamente) de la crema en blanco sin teñir.

Otra alternativa de sabor para hacer esta crema de naranja, es reemplazar la esencia de vainilla por la ralladura de una naranja y una cucharada de zumo de naranja.

Almíbar de naranja

Mezclar en una olla 100 g de zumo de naranjas exprimidas y coladas y 50 g de azúcar, calentar revolviendo hasta que la mezcla esté por hervir y dejar de revolver para evitar que el azúcar se cristalice. Llevar a ebullición y retirar enseguida del fuego. Dejar entibiar el almíbar y guardarlo inmediatamente en la nevera en un recipiente de plástico con cierre hermético hasta el momento de usar.

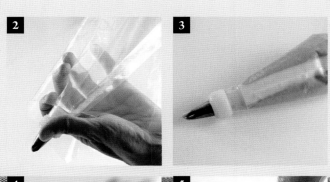

Paso a paso

Ingredientes
Crema de mascarpone de vainilla de color: blanco, lila y violeta

Materiales
Espátula
Mangas pasteleras
Adaptadores de plástico para boquilla
Boquillas de estrella de cuatro puntas
(Por ejemplo la N.º 77 de Wilton)

1 Con una espátula cubrir la superficie del cupcake con la crema de mascarpone color lila.

2 Preparar una manga pastelera con la boquilla de estrella. En otra manga pastelera agregar la crema blanca, cortarle la punta y realizar una línea de crema a ambos lados de la manga armada con la boquilla de estrella como se muestra en la foto.

3 Luego agregar crema lila dentro de la manga, las líneas blancas quedarán a ambos lados.

4 Proceder de la misma forma armando otra manga con la crema color violeta.

5 Colocar la manga pastelera de forma perpendicular al cupcake, y empezando de afuera hacia dentro, presionar para que se forme la florecilla. Hacerlas de forma alternada, una con la manga con crema violeta y otra con la de crema lila. Se pueden hacer dos formas diferentes: Una cubriendo toda la superficie del cupcake con florecillas y la otra solo realizando dos filas a modo de corona de flores.

Ranúnculos y jazmines

Soy una enamorada de los ranúnculos, y mi famoso diseño de estas flores junto a los jazmines realizados en pasta de goma es escogido constantemente para tartas de boda.

Desde hace un tiempo los cupcakes se han consolidado como una alternativa para ofrecer en reemplazo del tradicional pastel nupcial, sobre todo entre los novios que quieren una opción menos convencional pero igual de romántica, por ello he creado estos cupcakes que con su estilo chic y refinado son visualmente insuperables presentados en un elegante cake stand.

Realizar estas flores de azúcar requiere un poco de tiempo y paciencia, pero el resultado es absolutamente maravilloso.

Receta

Cupcakes de manzana y arándanos

Estos cupcakes que son pura fruta y con un corazón de arándanos en su interior garantizan que cada bocado encantará con la frescura de su sabor.

Ingredientes (para 12 cupcakes aprox.)

2 huevos
150 g de mantequilla ablandada
200 g de azúcar
260 g de harina
1 cucharadita de levadura en polvo
1 manzana grande preferentemente variedad Granny Smith
Zumo de 1 limón
24 arándanos frescos

Preparación

Mezclar la mantequilla ablandada con el azúcar, agregar 2 yemas de huevo (reservar las claras) y batir. Agregar la manzana rallada y mezclar rápidamente para que no se oxide. Incorporar la harina mezclada con la levadura en polvo, tamizándola a medida que se va agregando, alternando con el zumo de limón. Finalmente incorporar las 2 claras montadas a punto de nieve mezclando suavemente.

Cubrir con esta masa la base de los moldes de los cupcakes, colocar dos arándanos en el centro y llenar con el resto de la masa hasta ¾ partes del molde de los cupcakes, hornear durante 25 minutos a 180º C.

Paso a paso

Ingredientes

Pasta de goma color blanco (600 g aprox.)
Pasta de goma color verde (400 g aprox.)
Fondant color blanco (500 g aprox.)
Colorante alimentario en polvo color verde seco
Pegamento comestible

Materiales

Cortadores de círculo de 3 cm y 5 cm de diámetro
Cortador de cáliz de rosa
Cortador de jazmín
Rodillo
Bolillo
Esteca cuchillo
Huevera de plástico
Tapete grueso de goma EVA (*flower pad*) con agujeros
Pincel
Alambres para flores aptos para el contacto con alimentos
N.º 20

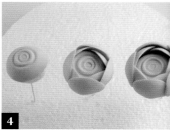

1 Para realizar los ranúnculos de azúcar, primero hay que hacer una bola de pasta de goma color blanca de unos 3 cm de diámetro (puede ser más grande si se desea hacer una flor de mayor tamaño y en este caso el diámetro de los pétalos deberá ser mayor). A esta bola se le debe introducir un alambre N.º 20 pincelado con pegamento comestible. Hay que dejarla secar por lo menos 24 horas.

2 Cortar un círculo de 3 cm en pasta de goma verde claro y pegarlo con pegamento comestible en el centro de la bola. Con un botón con aro texturizar la pasta y luego con un palito grueso presionar para marcar el centro y dejar secar.

3 Cortar cuatro círculos de 3 cm de diámetro en pasta de goma verde claro, afinar los bordes con un bolillo y dejar secar boca abajo sobre una huevera durante diez minutos para que tomen forma curvada.

4 Luego pegar los círculos con pegamento comestible sobre la bola, en cruz, los cuatro enfrentados. Cortar otros cuatro círculos de 3 cm de diámetro en pasta de goma verde, afinar los bordes con un bolillo y dejar secar boca abajo sobre una huevera durante 10 mn, luego pegarlos con pegamento de forma tal que cada pétalo quede sobre el ángulo formado por

los pétalos anteriores. Presionar muy bien en la base de los pétalos para que queden pegados ya que si no se hace suficiente presión los pétalos no se pegarán, porque la pasta ya está algo seca. No importa que queden marcas, al pegar los pétalos siguientes se irán tapando.

Cortar cinco círculos más de 3 cm de diámetro en pasta verde, afinar los bordes con un bolillo y dejar secar boca abajo sobre una huevera durante 10 mn, luego pegarlos con pegamento de forma tal que queden levemente superpuestos como se muestra en la foto.

5 Cortar seis círculos de 5 cm de diámetro en pasta de goma blanca, afinar los bordes con un bolillo y dejar secar boca abajo sobre una huevera durante 10 mn, luego pegarlos con pegamento de forma tal que los pétalos queden apenas superpuestos unos con otros. Los pétalos deben colocarse todos a la misma altura, no ir subiéndolos, si no la base del ranúnculo no quedará cubierta. Se puede repetir este procedimiento hasta hacer otra vuelta más de pétalos si se desea hacer una flor más grande.

6 Finalmente con un cortador de cáliz de rosa cortar en pasta de goma verde una pieza para cada flor y pegarla con pegamento en la parte posterior de la flor insertándola

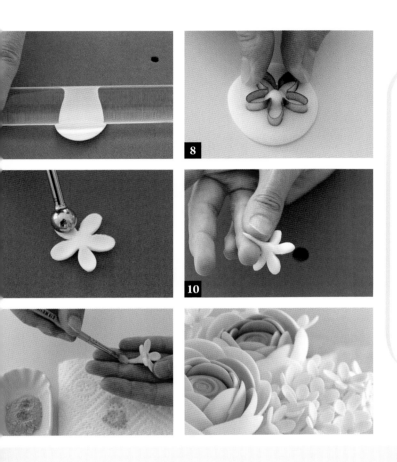

TIP

Para que las flores de pasta de goma tengan una superficie satinada como las naturales, hay que poner a hervir una olla con agua, y cuando se empiece a producir el vapor, tomar cada una de las flores colocándolas boca abajo aproximadamente a unos diez centímetros por encima del agua, dejando que les dé el vapor durante unos cinco segundos; eso formará una capa satinada con el azúcar que les quitará el aspecto opaco y las hará lucir muy realistas. Antes de realizar este procedimiento cerciorarse de que las flores estén completamente secas; yo prefiero hacerlo entre 24 y 48 h después de haberlas terminado.

a través del alambre. Para terminar la flor, con un pincel tomar una pequeña cantidad de colorante alimentario en polvo color verde seco, quitar el exceso con un papel de cocina y pincelar el centro del ranúnculo para que quede más oscuro.

7 Para hacer los jazmines, colocar una bolita de pasta de goma blanca de no más de 2 cm de diámetro sobre uno de los huecos del tapete de goma y estirar con el rodillo.

8 Retirar la pasta del tapete de goma y colocar la pasta con el conito hacia arriba sobre la mesa. Cortar un jazmín como se muestra en la foto.

9 Luego volver a colocarlo dentro del agujero del tapete y afinar los pétalos del jazmín haciendo una suave presión con el bolillo en cada uno de ellos, y con la parte trasera de un pincel hacer un agujero en el centro del jazmín.

10 Afinar el conito de pasta que ha quedado en la parte trasera del jazmín para formar un tallo terminado en punta.

11 Una vez que los jazmines estén secos, pincelar el centro y el cáliz de cada flor con colorante alimentario en polvo color

verde claro, quitando antes de hacerlo el exceso de polvo sobre un papel de cocina.

12 Para realizar la cubierta de fondant del cupcake, en una superficie ligeramente espolvoreada con azúcar glasé, estirar con un rodillo fondant blanco de aproximadamente 3 mm de grosor. Con un cortador de círculo, cuyo diámetro deberá ser de un par de centímetros más grande que el diámetro del cupcake, cortar las piezas necesarias para cubrirlos. Tomar una pieza y cubrir realizando un suave masaje en los extremos para que quede bien adherida al cupcake, que tendrá que estar previamente pincelado con un almíbar de albaricoque. *(véase pág. 200)*.

13 Para terminar, pegar un ranúnculo en cada cupcake con pegamento comestible. Se puede tirar del alambre para quitarlo o dejar el alambre y clavarlo en el cupcake ya que estos son no tóxicos y aptos para estar en contacto con alimentos. Finalmente pincelar con una pequeña cantidad de pegamento comestible el tallo de los jazmines e insertarlos en la cubierta de fondant del cupcake.

Ballet

Para crear este diseño me inspiré en el rosado y etéreo tutú y zapatillas de ballet que usó mi pequeña hija cuando bailó por primera vez *El Cascanueces*, y el resultado es tan dulce y delicado que todas las pequeñas bailarinas y los amantes del ballet quedarán asombrados con estos adorables cupcakes.

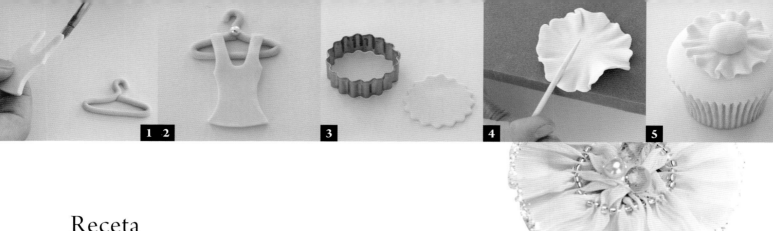

1 2 3 4 5

Receta

Cupcakes coco pasión

Es difícil no enamorarse instantáneamente del sabor tan intenso de la fruta de la pasión o maracuyá, tal vez por eso lleve la pasión en su nombre y también por ello estos cupcakes con su corazón cremoso y exótico sabor apasionarán a todos los que los prueben.

Ingredientes (para 12 cupcakes aprox.)
200 g mantequilla ablandada
200 g azúcar
3 cucharadas de pulpa de fruta de la pasión sin semillas
270 g de harina tamizada
30 g de coco rallado
4 huevos medianos

Preparación

Batir la mantequilla con el azúcar hasta que esté cremosa, agregar los huevos y seguir batiendo hasta incorporarlos totalmente a la preparación. Agregar la pulpa de fruta de la pasión y el coco rallado. Luego agregar la harina tamizada en tres tandas, mezclando hasta que quede totalmente integrada.

Cubrir la base de los moldes de cupcakes con masa hasta las ¾ partes del molde. Hornear a 180º durante 20 minutos.

Mascarpone de fruta de la pasión y coco

Ingredientes
200 g de mascarpone
100 g de pulpa de fruta de la pasión
(aproximadamente 6 frutas)
1 cucharada de coco rallado
6 cucharadas de azúcar glasé

Preparación

En un bol colocar el mascarpone quitándole todo el suero o líquido que pudiera tener, agregar la pulpa de fruta de la pasión, el coco rallado y luego el azúcar glasé tamizado. Batir con la batidora eléctrica hasta que la textura sea suave y cremosa.

Relleno y cubierta de los cupcakes

Con un descorazonador de manzanas quitar el centro del cupcake, cortar el centro que se ha quitado dejando solo una tapa y rellenar el hueco con el mascarpone de fruta de la pasión y coco. Colocar la tapa de masa para cerrar *(véase pág. 190)*. Previamente a cubrir los cupcakes con fondant, con una espátula untar los cupcakes con una pequeña cantidad de mascarpone. Luego sobre una superficie plana espolvoreada con azúcar glasé estirar con un rodillo fondant blanco de aproximadamente 3 mm de grosor. Con un cortador de círculo, cuyo diámetro deberá ser de un par de centímetros más grande que el diámetro del cupcake, cortar las piezas necesarias para cubrirlos. Tomar una pieza y cubrir realizando un suave masaje en los extremos para que quede bien adherida al cupcake *(véase pág. 200)*.

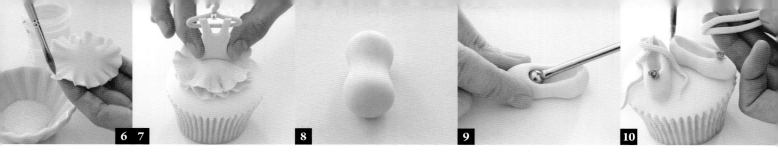

Paso a paso

Ingredientes

Fondant blanco (500 g aprox.)
Pasta de goma color rosa claro (400 g aprox.)
Pasta de goma color rosa oscuro (30 g aprox.)
Pasta de goma color lavanda (50 g aprox.)
Purpurina comestible color blanco
Perlas de azúcar de color plata
Pegamento comestible

Materiales

Cortadores de círculo con ondas de unos 4 cm de diámetro
y plantilla de vestido de bailarina (*véase pág. 219*)
Rodillo
Bolillo
Esteca cuchillo
Tapete grueso de goma EVA (*flower pad*)
Pincel
Palito de brocheta

1 Para hacer la percha, con una pequeña cantidad de pasta de goma color lavanda amasar un rollito de 8 cm de largo, doblarlo formando un triángulo dejando el último lado más largo para poder hacer el gancho de la percha y curvarlo con la ayuda del palito de brocheta. Para terminar pegar con pegamento el lado suelto a la base del gancho y encima una perlita plateada de azúcar para disimular la unión.

2 Estirar con el rodillo pasta rosa claro de aproximadamente 1 mm de grosor sobre una superficie previamente engrasada con mantequilla o margarina. Colocar sobre la pasta estirada la plantilla del vestido de bailarina hecho en cartulina, con la esteca cuchillo recortar la pasta siguiendo la figura de la plantilla y luego pegar el cuerpo del vestido a la percha pincelando los tirantes con pegamento para que se adhieran.

3 Estirar con el rodillo pasta de goma color rosa claro de aproximadamente 1 mm de grosor sobre una superficie previamente engrasada con mantequilla o margarina y con el cortador de círculo con ondas cortar dos piezas. Reservar una pieza tapada con una bolsa de plástico.

4 Afinar sobre el tapete de goma los bordes del círculo con un bolillo, luego colocar el círculo en el borde del tapete y con el palito de brocheta marcar los pliegues colocando el palito en posición vertical y haciéndolo rodar avanzando y retrocediendo. Repetir la operación dejando unos 2 cm de distancia entre marca y marca hasta terminar con todo el círculo, como se muestra en la foto. Hacer el otro círculo de la misma forma.

5 Pegar uno de los círculos al cupcake pincelando el centro del círculo con un poco de pegamento. Hacer una pequeña esfera de pasta de goma rosa y pegarla en el centro del círculo.

6 Pincelar con pegamento el borde del otro círculo, pasar dicho borde por purpurina y pegarlo sobre la esfera de pasta rosa.

7 Para pegar el cuerpo del vestido al tutú pincelar con pegamento comestible la base del cuerpo y fijarlo colocándolo en el centro de la falda ejerciendo una suave presión. El cuerpo del vestido deberá estar completamente seco para que no se deforme al pegarlo. Para terminar hacer una pequeña rosita de pasta de goma color rosa oscuro (*véase pág. 117*) y pegarla a un lado en la cintura del vestido.

8 Para hacer las zapatillas de ballet, hacer una esfera de pasta de goma de 2 cm de diámetro y haciéndola rodar entre los dedos afinarla en el centro como se ve en la foto.

9 Luego ahuecar en el centro con el bolillo y con los dedos hacer una suave presión para darle forma a la punta.

10 Para terminar, estirar pasta rosa claro de unos 2 mm de espesor. Cortar dos tiras de 10 cm de largo por 0,5 cm de ancho, doblarlas por la mitad, cortar con una tijera las puntas en diagonal y pincelándolas con un poco de pegamento comestible pegarlas en la parte posterior de la zapatilla y cruzar las tiras dándoles un movimiento ondulado como se ve en la foto. Terminar haciendo una pequeña rosita de pasta de goma color rosa oscuro y pegarla en el centro de la zapatilla.

Shabby chic

El aroma de una ramita de muguet evoca el frescor de los bosques y de los jardines de primavera, su delicioso perfume es uno de mis favoritos, su fragancia delicada, discreta y limpia me recuerda instantáneamente al jardín húmedo por el rocío de la mañana.

Las flores de muguet son elegantes y vintage, por eso estos cupcakes combinan a la perfección con una mesa de estilo Shabby chic con muebles decapados y colores blancos y verde agua.

Paso a paso

Ingredientes

Fondant líquido (*véase pág. 197*)
Dos gotas de colorante alimentario color verde hoja para teñir el fondant líquido
Pasta de goma color blanco (80 g aprox.)
Pasta de goma color verde seco (80 g aprox.)
Glasa real color verde
Pegamento comestible

Materiales

Cortador de flor pequeña de seis pétalos
Rodillo
Esteca cuchillo
Bolillo pequeño
Esponja
Manga pastelera
Adaptador de plástico para boquilla
Boquilla redonda lisa N.º 3
Pincel
Cinta estrecha de terciopelo verde

1 Para hacer las flores de muguet estirar con un rodillo pasta de goma blanca en una superficie ligeramente engrasada con mantequilla o margarina de aproximadamente 1 mm de espesor. Con el cortador de flor de seis pétalos cortar unas 16 florecillas para cada cupcake de dos pisos. Colocarlas sobre una esponja y presionar en el centro de cada flor con un bolillo pequeño para ahuecarlas.

4 Para hacer las hojas, estirar pasta de goma color verde seco de aproximadamente 1 mm de espesor. Con la esteca cuchillo cortar, para cada cupcake, tres piezas de unos 6 cm de largo en forma de hoja alargada. Con la misma esteca marcar las nervaduras de las hojas haciendo trazos de abajo hacia arriba a lo largo de las mismas sin presionar demasiado. Una vez terminadas cubrirlas con una bolsa de plástico hasta el momento de pegarlas para que no se sequen.

5 Bañar los cupcakes con el fondant líquido color verde claro, (*véase pág. 198*). Una vez que el fondant se haya secado pegar los minicupcakes en el centro de los cupcakes grandes con una gota de glasa real.

6 Con un poco de pegamento comestible pincelar la base y la punta de las hojas y pegarlas levemente superpuestas como se ve en la foto. Luego con la manga pastelera con una boquilla redonda N.º 3 hacer tres líneas de glasa real a lo largo de las hojas. Pegar con un poco de pegamento comestible las flores de muguet sobre las hojas a un lado de los tallos hechos con glasa y también sobre la parte superior del minicupcake. Terminar pegando con un punto de glasa un pequeño lazo de terciopelo en la base de las hojas.

Receta

Cupcakes de naranja

Ingredientes (para 8 cupcakes y 8 minicupcakes aprox.)
150 g de mantequilla
110 g de azúcar glasé
3 huevos
Ralladura de una naranja
2 cucharadas de zumo de naranja
60 g de harina
60 g de maicena
1 cucharadita de levadura en polvo
Almíbar de naranja (*véase pág. 192*)

Preparación
Batir la mantequilla con el azúcar hasta que quede cremosa, agregar la ralladura y el zumo de naranja, luego agregar las yemas de los huevos y seguir batiendo.

Tamizar juntos la harina, la maicena y la levadura en polvo e incorporarlos a la preparación anterior. Montar las claras a punto de nieve y agregarlas a la preparación anterior mezclando suavemente. Verter la masa en los moldes de papel hasta ¾ partes.

Hornear durante 20 minutos a 180º. En cuanto se retiren del horno, inmediatamente pincelarlos con el almíbar de naranja; esto además de darle sabor a los cupcakes, los mantiene húmedos y frescos por más tiempo.

Country garden

En el diseño de estos cupcakes he querido capturar la esencia de un día de primavera en el campo, una decoración delicada con flores de azúcar es una excelente elección para la mayoría de las celebraciones.

El texturizado del fondant que cubre los cupcakes es una técnica sencilla mediante la cual se logra un acabado de gran impacto visual.

Cupcakes de coco, chocolate blanco y mango

El sabor de estos esponjosos cupcakes de coco armoniza a la perfección con su corazón tierno de chocolate blanco y mango. Para paladares más clásicos o para niños se puede reemplazar el corazón de chocolate blanco y mango por uno de chocolate blanco y vainilla.

Corazón de chocolate blanco y mango

Ingredientes
150 g de chocolate blanco
40 g de nata
50 g de mango crudo hecho puré

Derretir el chocolate blanco en el microondas o a baño María. Hacer hervir la nata, revolver un poco para no agregarla tan caliente y que pueda quemar el chocolate. Mezclar con el chocolate batiendo con batidora hasta que la preparación esté cremosa. Agregar el mango crudo hecho puré y batir hasta integrarlo en la crema. Llevar a la nevera durante 3 horas. Cuando ya se haya endurecido sacar el chocolate con una cucharita de té, hacer 12 bolitas y congelarlas. Mantenerlas en el congelador hasta el momento de usar. Si se tiene un molde para bombones, directamente verter la preparación tibia dentro de cada cavidad del molde y congelar.

Cupcakes de coco

Ingredientes (para 12 cupcakes aprox.)
6 huevos
140 g de azúcar
120 g de harina
2 cucharaditas de levadura en polvo
70 g de coco rallado
125 g de mantequilla

Preparación
Tamizar la harina con la levadura en polvo y agregarle el coco rallado, mezclar bien y reservar.

Separar las yemas de las claras de huevo, reservar las yemas y hacer un merengue con las claras, batiéndolas hasta espumarlas y luego incorporar el azúcar de a poco. Cuando el merengue esté bien montado agregar las yemas de a una y seguir batiendo. Luego agregar de a poco la harina con la levadura y el coco rallado y mezclar suavemente con una espátula con movimientos envolventes para que no se baje el merengue. Derretir la mantequilla hasta que quede líquida en el microondas o a baño María y agregarla a la preparación y mezclar suavemente.

Llenar los cupcakes hasta la mitad de los moldes de papel, colocar en el centro la bolita congelada de chocolate blanco y mango, cubrir con el resto de la masa y hornear los cupcakes a 180 grados centígrados de 15 a 20 minutos.

Paso a paso

1 Para realizar las flores, con el rodillo estirar pasta de goma blanca de aproximadamente 1 mm de espesor sobre una superficie previamente engrasada con mantequilla. Con el cortador de petunia cortar 24 piezas y ponerlas a secar dentro de la huevera de plástico para que tomen forma. Con un pincel fino, utilizando una pequeña cantidad de colorante en polvo verde claro, impregnando bien el pincel pero dejando todo el exceso de polvo en el papel de cocina, pintar dándole color solo al centro de las flores *(véase pág. 204)*.
Luego con un pincel fino con muy poca cantidad de pegamento comestible hacer un punto en el centro de cada flor y pegar una perlita de azúcar haciendo presión con el dedo para que quede bien adherida y dejar secar en la huevera por lo menos durante 2 horas.

2 Para realizar la cubierta de fondant del cupcake, en una superficie ligeramente espolvoreada con azúcar glasé estirar con un rodillo fondant rosa de aproximadamente 3 cm de grosor. Hacer girar el fondant sobre el azúcar glasé para que no se pegue, hacer bolitas de tamaños diferentes de fondant de color verde claro y beige, disponerlas sobre el fondant estirado y pasar el rodillo nuevamente para integrarlas al fondant rosa.

3 Hacer girar nuevamente el fondant sobre el azúcar glasé, sin levantarlo de la mesa, y pasar por encima el rodillo texturizador, ejerciendo presión para que se marque bien el diseño.

4 Con un cortador de círculo, cuyo diámetro deberá ser de un par de centímetros más grande que el del cupcake, cortar las piezas necesarias para cubrirlos. Tomar una pieza y colocarla sobre el cupcake previamente pincelado con un almíbar de albaricoque *(véase pág. 200)*.

5 Para finalizar, pegar las flores de azúcar a los cupcakes, pincelándolos con pegamento comestible y adhiriéndolas con una suave presión si el fondant está fresco; si el fondant se ha secado pegar las flores con una gotita de glasa real.

Ingredientes
Fondant color rosa (500 g aprox.)
Fondant color verde seco claro
(150 g aprox.)
Fondant color beige (150 g aprox.)
Pasta de goma blanca (100 g aprox.)
Pegamento comestible
Colorante alimentario en polvo
verde claro
Perlas de azúcar color perla
Pegamento comestible

Materiales
Cortador pequeño de petunia
Rodillo
Rodillo texturizador de rosas o
flores
Huevera de plástico
Pinceles

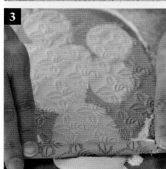

Tea time

La hora del té es una costumbre de origen británico, que ha variado en todo el mundo para transformarse en un momento del día para hacer una pausa relajante. Tanto si se trata de un acontecimiento especial o de una pequeña reunión, siempre habrá una buena excusa para disfrutar de una taza de té con estos deliciosos cupcakes.

Receta

Cupcakes de vainilla, chocolate y fresa

La clásica trilogía: vainilla, fresa y chocolate, es absolutamente infalible para conquistar todos los paladares. Una variante diferente es reemplazar el chocolate con leche por chocolate blanco para conseguir junto con las fresas un delicioso corazón rosa dentro de los cupcakes.

Corazón de chocolate y fresas

Ingredientes
150 g de chocolate con leche
40 g de nata
50 g de fresas licuadas
20 g de trocitos pequeños de fresa fresca

Preparación
Derretir el chocolate en el microondas o a baño María. Hacer hervir la nata, revolver un poco para no agregarla tan caliente y que pueda quemar el chocolate. Mezclar con el chocolate batiendo con batidora hasta que la preparación esté cremosa. Agregar el puré de fresas y batir hasta integrarlo en la crema. Incorporar los trocitos de fresa y mezclar. Llevar a la nevera durante 3 h, cuando ya se haya endurecido sacar el chocolate con una cucharita de té, hacer 12 bolitas y congelarlas. Mantenerlas en el congelador hasta el momento de usar. Si se tiene un molde para bombones, directamente verter la preparación tibia dentro de cada cavidad del molde y congelar.

Cupcakes de vainilla

Ingredientes (para 12 cupcakes aprox.)
120 g de mantequilla a temperatura ambiente
240 g de azúcar
4 huevos
130 g de harina
30 g de maicena
1 cucharadita de levadura en polvo
1 cucharadita o 5 g de vainilla en polvo o esencia de vainilla

Preparación
Batir la mantequilla junto con el azúcar hasta que esté cremosa, y agregar la vainilla en polvo o la esencia de vainilla.

Tamizar la harina previamente mezclada con la maicena y la levadura en polvo e incorporarla mezclando de a poco y alternando con los huevos uno a uno.

Llenar los cupcakes hasta la mitad de los moldes de papel y colocar en el centro la bolita congelada de chocolate y fresa, cubrir con el resto de la masa y hornear los cupcakes a 180 ºC durante 20 minutos.

Paso a paso

Ingredientes

Fondant color beige (500 g aprox.)
Pasta de goma blanca (50 g aprox.)
Pasta de goma color rosa (50 g aprox.)
Pasta de goma color rosa claro (80 g aprox.)
Pasta de goma color verde claro (50 g aprox.)
Pegamento comestible
Purpurina comestible de color blanco
Colorante alimentario en polvo perlado blanco
Mantequilla

Materiales

Cortador de pétalo de rosa pequeño
Cortador de hojas pequeño
Texturizador de silicona de hojas de rosa
Cortador de mariposa pequeño
Placa texturizadora de encaje
Bolillo
Rodillo
Tapete grueso de goma EVA (*flower pad*)
Pinceles
Tijera dentada
Tijera
Hoja de cartulina

1 Para realizar las mariposas estirar con el rodillo pasta de goma blanca de unos 2 mm de espesor. Pincelar la placa texturizadora de encaje con el colorante en polvo perlado blanco y también pincelar la superficie de la pasta de goma estirada.

2 Colocar la pasta de goma estirada sobre la placa texturizadora de encaje y presionar muy bien para que se marque la textura.

3 Pasar el rodillo sobre la placa para alisar y marcar más la pasta.

4 Retirar la pasta de la placa y pincelar nuevamente con un poco de colorante en polvo perlado para intensificar más el brillo. Luego con el cortador de mariposas cortar las piezas necesarias.

5 Derretir una pequeña cantidad de mantequilla al fuego o en el microondas y pincelar con ella los bordes de las alas de las mariposas.

6 Introducir el borde de las alas pinceladas con mantequilla en un bol con purpurina comestible.

7 Hacer 3 pliegues en la cartulina como se ve en la foto y poner a secar allí las mariposas con sus alas desplegadas durante unas dos horas.

8 Hacer las rosas, capullos de rosas y hojas (*véase pág. 204*).

9 Hacer las ocho mini rositas que decoran el borde de uno de los cupcakes (*véase pág. 117*).

10 Para realizar la cubierta de fondant del cupcake, en una superficie ligeramente espolvoreada con azúcar glasé estirar con un rodillo fondant color marfil de aproximadamente 3 mm de grosor. Con un cortador de círculo, cuyo diámetro deberá ser de un par de centímetros más grande que el diámetro del cupcake, cortar las piezas necesarias para cubrirlos. Tomar una pieza y cubrir realizando un suave masaje en los extremos para que quede bien adherida al cupcake previamente pincelado con un almíbar de albaricoque (*véase pág. 200*).

TIP

Para hacer las flores de pasta de goma es imprescindible que la pasta esté muy bien amasada y flexible. Hay que recordar tapar siempre las piezas cortadas con una bolsa de plástico y trabajar con rapidez para que no se sequen y luzcan agrietadas por haberlas dejado demasiado expuestas al aire.

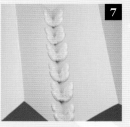

Rosas y Dalias

Me apasionan los jardines,
las flores y las aves en libertad.
Ellos son una fuente de inspiración
recurrente en mis creaciones.

Estos cupcakes de rosas y dalias
de crema están inspirados
en dos de los parques más bonitos
de España, la rosaleda del Parque
del Retiro y la dalieda de San Francisco el
Grande de Madrid que florecen con todo
su esplendor en primavera.

Receta

Cupcakes de melocotón y naranja

Estos cupcakes increíblemente frescos, húmedos y frutales, quedan deliciosos con una crema de melocotón, aunque también puedes variar su sabor utilizando una crema de naranjas. Las flores de crema con la manga pastelera se hacen bastante rápido cuando se adquiere un poco de práctica. Se conservan en la nevera hasta 4 días y hay que retiralos 30 minutos antes de consumirlos, o mantenerlos a una temperatura de 15º C.

Cupcakes de melocotón y naranja

Ingredientes (para 12 cupcakes aprox.)

2 huevos
150 g de mantequilla ablandada
200 g de azúcar
260 g de harina
1 cucharadita de levadura en polvo
2 melocotones
Zumo de 1 naranja

Preparación

Mezclar la mantequilla ablandada con el azúcar, agregar dos yemas de huevo (reservar las claras) y batir. Pelar los melocotones, ponerlos en una licuadora para hacerlos puré y agregarlos a la preparación, incorporar la harina mezclada con la levadura en polvo, tamizándola a medida que se va agregando, alternando con el zumo de naranja. Incorporar las dos claras montadas a punto de nieve mezclando suavemente.

Llenar los moldes de papel de los cupcakes hasta ¾ partes y hornear durante 25 minutos a 180 grados. Al retirarlos del horno aún calientes pincelarlos con el almíbar de naranja.

Almíbar de naranja

(Véase pág. 192)

Crema suiza de mantequilla de melocotón

Ingredientes (para 24 cupcakes aprox.)

550 g de azúcar
280 g de clara de huevo pasteurizada
550 g de mantequilla a temperatura ambiente
1 cucharadita de postre de cremor tártaro o 5 g de goma xantana
80 g de puré de melocotón concentrado *(véase pág. 194)*
2 cucharadas soperas de melocotón en polvo liofilizado (opcional) (*)
Unas gotas de colorante alimentario en pasta o en gel color rosa y amarillo huevo

(*) Las frutas liofilizadas son una opción sana y natural para saborizar una crema, ya que la liofilización es un proceso de deshidratación no convencional realizado por congelación y separación del agua preservando la estructura molecular de la fruta, lo que permite que las frutas conserven todas sus propiedades de sabor, color, vitaminas y nutrientes y es de rápida rehidratación. A las cremas de frutas me gusta incorporarle fruta liofilizada porque potencia mucho el sabor de forma natural.

Preparación
(Véase pág. 195)

Nota: La batidora solo se usa para montar el merengue. Si no se tiene un robot de cocina con pala (Ka) mezclar manualmente con una espátula ya que de hacerlo con la batidora la crema se cortaría.

Paso a paso

Ingredientes
Colorantes alimentarios en gel o en pasta
color rosa y amarillo

Materiales
Espátula
Mangas pasteleras
Adaptadores de plástico para boquilla
Boquilla de pétalos grande
Boquilla redonda N.º 6
Boquilla de hojas grande

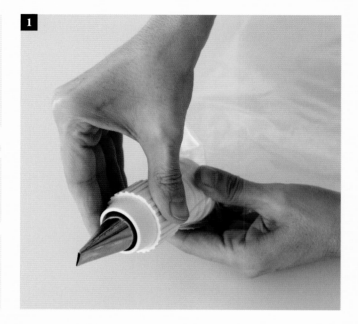

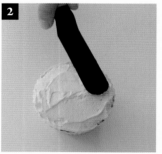

1 Dividir la crema en cuatro bols y teñir con los colorantes: rosa oscuro y claro, amarillo claro y oscuro. Mezclar suavemente con una espátula hasta conseguir colores homogéneos. Para hacer los cupcakes en forma de rosas, montar una manga pastelera con un adaptador de boquillas.

2 Con una espátula cubrir el cupcake con una capa fina de crema color rosa claro.

3 Llenar una manga con la crema rosa oscuro y con la boquilla redonda lisa hacer un conito en el centro del cupcake, que será el centro de la rosa. Con una boquilla de pétalo colocar la manga de forma recta en ángulo de 90º con la parte más gruesa de la boquilla de pétalo hacia abajo. Trazar un pétalo que cubra la mitad del centro del conito como se puede ver en la foto.

4 De la misma forma hacer el siguiente pétalo, pero empezando desde el centro del pétalo anterior, como se ve en la foto.

5 Seguir haciendo los pétalos de la misma manera, comenzando siempre desde el centro del pétalo anterior con la crema rosa oscura, hasta hacer 7 u 8 pétalos. Al terminar cada uno de los pétalos no retirar la boquilla de forma abrupta porque el pétalo quedaría de forma rectangular, sino realizar un leve movimiento hacia abajo antes de terminarlo, así toma una forma redondeada natural.

6 Llenar una manga con la crema de color rosa claro, y empezar a trazar el siguiente pétalo con la manga levemente inclinada, en ángulo de 45º aproximadamente, ya no comenzando desde el

8 Para hacer los cupcakes en forma de dalias, armar una manga pastelera con la boquilla de hojas y crema color rosa claro. Las aberturas grandes de la boquilla de hoja deben quedar de forma lateral, nunca hacia arriba. Apoyar la boquilla dentro del cupcake a unos 2 cm del borde, apretar la manga sin mover la boquilla manteniendo una presión constante hasta que se forme la base del pétalo y luego estirar mientras se va soltando de a poco la presión; si se estira demasiado rápido el pétalo quedará muy delgado. Hacer pétalos de esta forma en todo el contorno del cupcake.

9 La siguiente fila de pétalos hacerla de la misma forma pero colocando la boquilla de forma un poco más vertical en ángulo de 45°.

10 Con una manga con la crema de color rosa oscuro hacer los pétalos que cubrirán el centro de la misma forma de siempre, pero colocando la boquilla vertical en un ángulo de 90° respecto del cupcake.

centro del pétalo anterior, sino levemente superpuesto, como se puede ver en la foto. Recordar al sostener la manga, que la parte gruesa de la boquilla de pétalo siempre debe quedar hacia abajo. Hacer entre 14 y 16 pétalos. La rosa tiene que comenzar a abrirse.

7 Para hacer los últimos pétalos de la rosa, colocar la manga totalmente inclinada en un ángulo de 180° (como se ve en la foto) y hacer los pétalos de forma que cada uno comience donde termina el otro, aquí no se pueden superponer.
No hay que temer salir hacia fuera del cupcake, la crema tiene buena consistencia y se mantiene firme siempre que se trabaje a una temperatura ambiente de no más de 23° C.

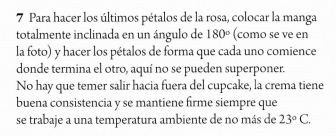

La Reina del Plata

La Reina del Plata es el nombre metafórico de mi querida ciudad de Buenos Aires. La banana con dulce de leche es un postre típico argentino que he querido recrear en estos cupcakes como homenaje a mis raíces argentinas.

Receta

Cupcakes de banana y nueces

El dulce de leche que se utiliza para el frosting de los cupcakes se puede hacer o comprar hecho y el dulzor de la cubierta queda equilibrado con la poca cantidad de azúcar de los cupcakes.

Ingredientes (para 12 cupcakes aprox.)

100 g de mantequilla a temperatura ambiente
100 g de azúcar
2 huevos
2 bananas
Zumo de 1 limón
30 g de leche
240 g de harina
2 cucharaditas de té de levadura en polvo
¼ cucharadita de té de sal
¼ cucharadita de té de bicarbonato
40 g de nueces molidas

Preparación

Batir la mantequilla con el azúcar hasta formar una crema y agregar las yemas (reservar las claras) y batir hasta que la preparación esté cremosa. Tamizar la harina con la levadura en polvo, el bicarbonato y la sal, luego mezclar con las nueces molidas. Licuar las bananas mezclándolas con el zumo de limón para que no se oxiden y la leche.

Agregarlas a la preparación anterior en tres tandas, alternando con la mezcla de harina y nueces. Montar las claras a punto de nieve e incorporarlas mezclando suavemente. Llenar los moldes de los cupcakes hasta las ¾ partes y hornear durante 20 minutos a 180 grados.

Dulce de leche casero

Ingredientes

2 litros de leche entera
500 g de azúcar
100 g de glucosa líquida
½ cucharadita de té de bicarbonato de sodio
1 vaina de vainilla

Preparación

Poner la leche y el azúcar en una olla antiadherente, llevar
a fuego máximo y agregar la glucosa y la vaina de vainilla.
Cuando comience a hervir, seguir cocinando a fuego bajo,
revolviendo para que no se pegue. Agregar el bicarbonato.
Cocinar durante 45 minutos a 1 h aproximadamente,
revolviendo frecuentemente para que no se pegue.

Cuando la mezcla comience a espesar revolver constantemente
hasta que alcance la temperatura de 110º C. Sacarlo del fuego,
introducir la olla en agua fría y seguir revolviendo hasta que el
dulce se entibie para evitar que se corte.

Se puede guardar en tarros de cristal esterilizados y cerrados
hasta 1 mes en la nevera.

Cubierta de crema espumosa de dulce de leche

Ingredientes

100 g de queso crema
40 g de mantequilla a temperatura ambiente
75 g de azúcar glasé
150 g de dulce de leche
3 claras de huevo
250 g de azúcar
75 ml de agua

Preparación

Batir juntos el queso crema con el azúcar glasé tamizado,
incorporar la mantequilla y seguir batiendo. Agregar el dulce
de leche y batir hasta que la mezcla esté homogénea.

Hacer un merengue italiano montando las claras a punto de
nieve con una batidora eléctrica. Agregar en una olla el azúcar
y el agua, llevar al fuego y revolver hasta que estén mezclados,
dejar de revolver antes de que comience a hervir (nunca se
debe revolver un almíbar cuando hierve porque el azúcar se
cristaliza). Cuando comience a hervir introducir un termómetro
para caramelo y cuando alcance la temperatura de 125º C
retirar del fuego y verterlo de a poco en las claras montadas
a punto de nieve sin dejar de batir *(véase pág. 199)*. Seguir
batiendo a velocidad máxima durante aproximadamente
15 minutos hasta que el merengue esté muy bien montado
con una consistencia de pico duro y se entibie.

Antes de incorporar el merengue a la crema verificar que
no esté caliente; si lo está batir más. Mezclar con una espátula
suavemente el merengue hasta que esté completamente
integrado y la crema tenga una textura homogénea.

Usar la crema inmediatamente, incorporarla a una manga
pastelera con una boquilla rizada grande y decorar el cupcake
trazando un movimiento en espiral desde el exterior del
cupcake hasta el centro *(véase pág. 197)*.

Paso a paso

Ingredientes
Pasta de goma rosa (500 g aprox.)
Mantequilla
Una pequeña cantidad de glasa real rosa
Colorante alimentario en polvo color Shell Pink
Perlas de azúcar plateadas de 3 o 4 mm
Pegamento comestible
Pincel

Materiales
Rodillo
Rodillo texturizador con flores
Regla de plástico
Cortador pequeño de corazón
Mangas pasteleras
Boquilla pastelera rizada grande
Boquilla N.º 1
Adaptador de boquilla
Cilindro de cartón de 3 o 4 mm de diámetro
Pincel
Pincel brocha

TIP

El pegamento comestible se puede comprar
o hacerlo uno mismo, para ello mezclar en un
pequeño tarro 1 cucharadita de té de goma tragacanto
o CMC y una cucharada sopera de agua. Revolver sin
preocuparse por la textura grumosa, dejar reposar y
en 30 minutos la mezcla gelifica sola. Agregarle 3 o 4
gotas de vinagre como conservante y guardar en la
nevera; dura 1 semana. El pegamento comestible
industrial se conserva a temperatura
ambiente y dura meses.

1 Para hacer las coronas engrasar ligeramente la mesa con mantequilla o margarina y con un rodillo estirar pasta de goma rosa de aproximadamente 2 mm de espesor. Con el filo de la regla de plástico cortar tiras de aproximadamente 10 cm de largo por 1 cm de ancho. Dejarlas secar por lo menos durante 1 h, colocándolas alrededor de un cilindro de no más de 4 cm de diámetro (se puede utilizar un cilindro de cartón de los que viene enrollado el papel de aluminio o el film plástico).

2 Estirar pasta de goma rosa de aproximadamente 2 mm de espesor, levantar la pasta, engrasar nuevamente la mesa con mantequilla, para que la pasta no se pegue y pasar por encima ejerciendo presión el rodillo texturizador de flores.

3 Con el cortador de corazón cortar cinco corazones por corona haciendo que la flor texturizada quede en el centro del corazón.

4 Pincelar con pegamento comestible el borde del cilindro de pasta rosa y pegar los corazones invertidos alrededor de la corona de la forma en que se ve en la foto.

5 Cuando las coronas estén secas, pincelarlas con mantequilla derretida, quitar el exceso con un papel de cocina y pasar una brocha con el colorante rosa perlado por toda la superficie de las coronas. Armar una manga pastelera con la boquilla N.º 1 y con glasa rosa hacer un punto en la intersección de cada corazón y pegar encima una perlita plateada de azúcar.

6 Finalmente con los cupcakes terminados apoyar suavemente las coronas sobre el centro de las mismas.

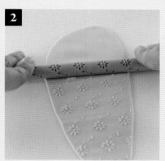
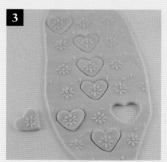

Cookies
de Alta Costura

Cookies

Las galletas decoradas son un regalo siempre bienvenido,
también son ideales para endulzar todas las fiestas y una idea original
como regalo para los invitados en todas las celebraciones:
desde un cumpleaños infantil hasta una boda.

La variedad de los diseños que presento inspirarán al artista que llevas dentro
para hacer maravillosas cookies que sorprenderán a todos, y no
solo visualmente, porque los sabores son tan deliciosos como variados:
desde las tradicionales galletas de vainilla y chocolate
a sabores sofisticados como las violetas
o mi receta de las galletas Springerle, un clásico
de Cakes Haute Couture desde hace ya una década.

Marie Antoinette

María Antonieta, la fascinante y controvertida Reina de Francia, símbolo de la opulencia y el glamour de la corte francesa del siglo XVIII, está representada con humor en esta galleta.

El gran tamaño de esta cookie la hace ideal para ser regalada individualmente, y sus destinatarias no tienen edad, ya que fascinará no solo a niñas pequeñas, sino también a quienes adoren la belleza de épocas pasadas.

Receta

Ingredientes

4 galletas Marie Antoinette hechas con la masa para galletas de vainilla *(véase pág. 206)*

3 fórmulas de glasa real *(véase pág. 208)*

Colorantes alimentarios en pasta color: piel, azul y rosa

Pasta de modelar color rosa *(véase pág. 203)*

Perlas comestibles color plata

Colorante alimentario en polvo blanco perlado

Colorante alimentario en polvo color rosa

Colorante alimentario en polvo color azul claro

Rotulador de tinta comestible color negro

Rotulador de tinta comestible color marrón

Rotulador de tinta comestible color rojo

Pegamento comestible

Materiales

Cortador de María Antonieta

Manga pastelera

Adaptador de boquillas

Boquilla redonda lisa N.º 3

Boquilla redonda lisa N.º 1

Biberón de plástico

Biberón de plástico de punta fina

Pinceles

Paso a paso

1 Dibujar el contorno y los detalles de la galleta con un rotulador de tinta comestible de color claro o marcar la galleta con un alfiler como guía para luego realizar los contornos con glasa real tal como se muestra en la foto.

2 Con una manga pastelera con una boquilla N.º 3 realizar el contorno del vestido con glasa real color azul cielo y la primera de las plumas de la peluca empezando desde abajo, luego hacer el contorno de las manos, la cara y escote con glasa de color piel. Con glasa blanca dibujar los volantes de la manga y la peluca. Utilizando glasa azul claro hacer las dos líneas de la abertura central de la falda y la segunda pluma de la peluca. Finalmente con color rosa claro cerrar la abertura central de la falda y hacer la última pluma de la peluca.

3 Hacer glasa fluida (*véase pág. 210*) color piel, verterla en un biberón y rellenar la parte correspondiente a la cara, escote y manos. Con otro biberón de glasa fluida color azul cielo rellenar la parte del vestido y la pluma azul cielo de la peluca. Preparar dos biberones uno con glasa fluida azul claro y otro biberón de punta fina con glasa fluida color rosa.

Rellenar con el biberón las dos partes laterales de la falda con glasa azul claro y la pluma azul claro de la peluca.

4 Luego con el biberón de punta fina con glasa fluida rosa hacer pequeños lunares sobre la glasa color azul claro recién colocada. Es importante hacer esto inmediatamente, ya que si la glasa azul se empieza a secar los lunares rosas no quedarán integrados.

5 Con un palillo arrastrar la glasa rosa hacia un lado formando una gota, hacer lo mismo con todos los lunares para formar un estampado. Luego cubrir con glasa color rosa claro el centro de la falda y la pluma rosa de la peluca, con glasa blanca cubrir la parte correspondiente a la peluca y a los volantes de las mangas.

Dejar secar durante 24 horas y luego utilizando una manga pastelera con una boquilla N.º 1 con glasa para escribir color blanca hacer los rizos de la peluca, el contorno ondulado del escote y dibujar tres corazones debajo del mismo (*véase pág. 213*). Realizar el contorno de los volantes de las mangas con líneas onduladas y terminar simulando el encaje con pequeños puntitos. Hacer perlas como pulseras y como collar (*véase pág. 213*). También con glasa blanca hacer pequeñas gotas hacia un lado y hacia el otro a lo largo de la línea de división entre el color azul cielo y el azul claro de la falda.

Utilizando una manga pastelera con una boquilla N.º 1 con glasa para escribir color azul cielo dibujar la curva de la cintura del vestido y la pluma de la peluca. Con glasa azul claro realizar las dos líneas centrales de la falda y el contorno de la pluma azul claro de la peluca.

Hacer el contorno de la pluma rosa de la peluca utilizando una manga pastelera con una boquilla N.º 1 con glasa rosa claro para escribir.

Con un rotulador de tinta comestible negro dibujar los ojos cerrados con tres pestañas y dibujar el lunar de la mejilla. Con el rotulador marrón dibujar las cejas y con el rotulador rojo hacer la boca. Para terminar la cara, con colorante en polvo rosa poner colorete en las mejillas, tomando un poco de colorante con el pincel y quitando el exceso en un papel de cocina. Proceder de la misma forma para pintar los ojos con el colorante azul claro. Pintar el collar y las pulseras de perlas con un pincel fino con colorante perlado blanco disuelto en una bebida alcohólica incolora, por ejemplo vodka o ginebra.

6 Para terminar la galleta se necesitarán ocho lazos de azúcar color rosa oscuro: uno para la peluca, dos para las mangas, uno para la cintura y cuatro para la falda. Para hacerlos, estirar con un rodillo, sobre una superficie ligeramente engrasada con mantequilla, pasta de modelar de 1 mm de grosor y cortar una tira larga de 0,5 cm de largo por 0,5 de ancho. Con una tijera hacer dos cortes en forma de V arriba y abajo del rectángulo para que quede como se ve en la foto. Cortar dos finas tiras de pasta de modelar de 2 cm de largo para las tiras del lazo y pegar el lazo. Terminar con una pequeña perla comestible color plata pegándola en el centro. Pegar los lazos de la galleta con un punto de glasa en los sitios correspondientes.

Chocolate Cookie  Cake

El chocolate es el eterno favorito de las fiestas y estas minitartas hechas con deliciosas galletas de chocolate deslumbrarán a todos. Las cookie cakes son una elección perfecta para un té, un cumpleaños o como regalo para los invitados si se presentan en una cajita de acetato transparente y envuelta con un bonito lazo.

Paso a paso

Ingredientes (para 3 cookie cakes)
Masa para galletas de chocolate
(véase pág. 206)
Glasa real
(véase pág. 208)
Mazapán para moldear (50 g aprox.)
(véase pág. 201)
Colorantes alimentarios en pasta de color rosa y rojo

Materiales
Cortadores de círculo de 9 cm, 6 cm, 3 cm y 2 cm
de diámetro
Manga pastelera
Adaptador de plástico para boquilla
Boquilla redonda lisa N.º 3
Biberón de plástico
Pegamento comestible

1 Hacer la masa para galletas de chocolate.
Estirar la masa de chocolate con un rodillo y cortar 3 piezas
con el cortador de círculo de 9 cm, 3 piezas con el cortador de
círculo de 6 cm y 3 piezas con el cortador de círculo de 3 cm
para formar la tarta de 3 pisos. Para minitarta individual cortar
3 piezas con el cortador de círculo de 2 cm.

2 Una vez horneadas las galletas, pegar los círculos de 9 cm
uno sobre otro con un poco de glasa real.

3 Con una manga pastelera y una boquilla N.º 3 hacer el
contorno de forma ondeada e irregular con glasa real color
rosa claro sobre la galleta superior.

4 Hacer glasa fluida *(véase pág. 210)* del mismo color rosa
claro, verterla en un biberón y rellenar la superficie haciendo
que sobrepase la línea dibujada anteriormente, esto hará
que la glasa caiga en algunos puntos dando el efecto de baño
de azúcar. Dejar secar 24 horas.

5 Proceder de la misma forma con los círculos de 6 cm,
3 cm y 2 cm.

6 Pegar con un poco de glasa real los pisos de la minitarta de
6 cm sobre los de 9 cm y los pisos de 3 cm sobre los de 6 cm.

7 Para terminar, con colorante en pasta rojo colorear el
mazapán de moldear y hacer pequeñas bolitas rojas. Con un
palillo hacer un agujero en la parte superior para que parezcan
cerezas, y pegarlas con pegamento comestible sobre
la minitarta de la forma que se ve en la foto.

Black & White

Las cookies en forma de pastel de boda y de flores en blanco y negro son perfectas para una boda contemporánea. Los lazos que las adornan les dan un look moderno y muy chic.

Estas elegantes galletas pueden ser ofrecidas a la hora del café y también pueden convertirse en un maravilloso detalle para los invitados presentadas dentro de una bolsita de celofán atada con un lazo de raso negro con lunares blancos.

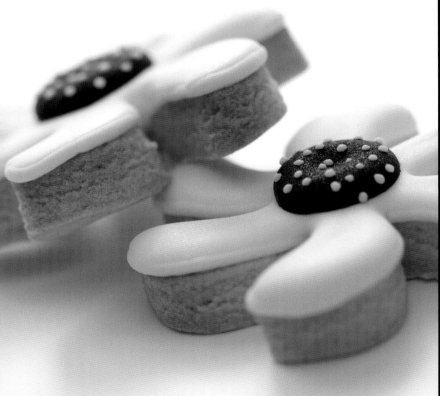

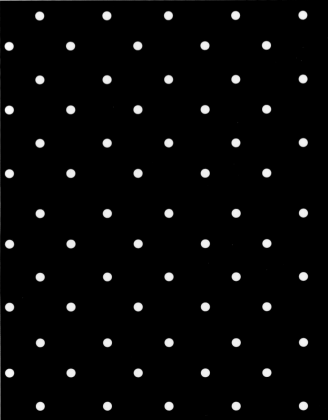

Receta

Ingredientes

6 galletas tarta de boda y 6 galletas flor, hechas con
la masa para galletas de vainilla
(véase pág. 206)
Glasa real
(véase pág. 208)
Colorante alimentario en pasta de color negro
Pasta de modelar de color negro
(véase pág. 203)

Materiales

Cortador de tarta de boda y cortador de flor
Mangas pasteleras
Adaptadores de plástico para boquillas
Boquilla redonda lisa N.º 3
Boquilla redonda lisa N.º 1
Biberón de plástico

Paso a paso

1 Para hacer los lazos negros de la tarta de boda, engrasar ligeramente la superficie de trabajo con mantequilla, y con un rodillo estirar pasta de modelar de color negro de aproximadamente 1 mm de grosor. Luego cortar dos tiras de 5 cm de largo y 1,5 cm de ancho para cada galleta, doblar los extremos hacia el centro y doblar cada punta por la mitad hacia adentro como se muestra la foto.

2 Realizar un pellizco en el centro del lazo para formarlo. Luego cortar 2 tiras de pasta de 4 cm de largo y 1,5 cm de ancho para cada lazo, y con una tijera cortar los extremos en dos picos. También cortar una pequeña tira de 2 cm de largo por 0,5 cm de ancho.

3 Para armar el lazo disponer la pequeña tira de pasta en el centro, previamente pincelada con pegamento comestible, pegar por detrás del lazo los extremos, y luego pegarlo con pegamento sobre las dos tiras como muestra la foto.

4 Con una manga pastelera con una boquilla N.º 1 hacer pequeños puntos de glasa blanca en toda la superficie del lazo.

5 Para glasear las galletas tarta de boda, con una manga pastelera con una boquilla N.º 3 realizar el contorno correspondiente a la tarta con glasa real blanca, luego con una manga pastelera con una boquilla N.º 3 con glasa real de color negro hacer el contorno del cake stand. Previamente se puede dibujar con un rotulador de tinta comestible o marcar con un alfiler la forma del cake stand como guía para el trazado con la manga de glasa de color negro.

6 Hacer glasa fluida blanca *(véase pág. 210)*, verterla dentro de un biberón y rellenar la parte correspondiente a la tarta de boda.

7 Hacer glasa fluida negra, verterla dentro de un biberón y rellenar la parte correspondiente al cake stand.

8 Dejar secar durante 24 horas y luego con una manga pastelera con una boquilla N.º 1 en la base de cada piso de la tarta hacer un borde de gotas *(véase pág. 213)*.

9 Con una gotita de glasa pegar los lazos sobre la galleta.

10 Para realizar las galletas flor dibujar con glasa real de color blanco el contorno de la galleta utilizando una manga pastelera con una boquilla N.º 3 y con glasa fluida rellenar toda la superficie. Una vez se haya secado, hacer el centro utilizando glasa fluida de color negro y colocar el biberón de forma perpendicular a la galleta. Presionar hasta que se forme. Una vez que el centro negro se haya secado, con una manga pastelera con una boquilla N.º 1 hacer pequeños puntos de glasa blanca en toda la superficie del centro de la flor.

Mariposas

Mis cookies mariposas traen el romance de
los jardines a la mesa, con una suave paleta de azules
pastel y rosas combinan un estilo fresco y romántico
para celebraciones de ensueño.

La técnica del estampado de galletas con glasa real
es muy sencilla, tan solo requiere un poco de paciencia,
pero podrás realizar fabulosos diseños mezclando
colores y trabajando con distintos estampados.

Paso a paso

Ingredientes

6 galletas mariposas y 6 galletas flor hechas con la masa para galletas de vainilla *(véase pág. 206)*
2 fórmulas de glasa real *(véase pág. 208)*
Colorante alimentario en pasta de color azul claro
Colorante alimentario en pasta de color rosa
Pasta de modelar color rosa claro y rosa oscuro *(véase pág. 203)*

Materiales

Cortador de mariposa y cortador de flor
Mangas pasteleras
Adaptadores de plásticos para boquillas
Boquilla redonda lisa N.º 3
Biberones de plástico de punta fina
Rodillo
Tijera dentada
Tijera

1 Para hacer las rositas de pasta de modelar para las mariposas y flores, engrasar ligeramente la superficie de trabajo con mantequilla o margarina y con un rodillo estirar pasta de modelar de color rosa oscuro muy delgada de aproximadamente 1 mm de grosor. Luego, con la tijera de picos cortar una tira de 5 cm de largo y 1 cm de ancho.

2 Para hacer el centro de la rosita, enrollar la tira de pasta levemente hacia arriba, sin apretar demasiado: el centro de la rosa debe quedar un poco hundido respecto del resto de la flor.

3 Al terminar de enrollar la tira tomar cada uno de los picos que dejó la tijera en la pasta y, presionándolos suavemente con los dedos, abrirlos curvando hacia fuera para que luzcan como pétalos.

4 Luego, con pasta de modelar de un rosa más claro con la tijera dentada cortar una tira de 5 cm de largo y 1 cm de ancho. Para terminar la rosa, enrollar esta tira alrededor del centro rosa oscuro.

5 Finalmente tomar cada uno de los picos que dejó la tijera en la pasta y presionándolos suavemente con los dedos abrirlos curvando hacia fuera para que luzcan como pétalos.

6 Para finalizar cortar de forma recta la base de la rosa con una tijera.

7 Para glasear las galletas mariposa *(véase pág. 211)*, con una manga pastelera con una boquilla N.º 3 realizar el contorno correspondiente a la tarta con glasa real azul pastel.

8 Hacer glasa fluida de color azul pastel, azul pastel claro, rosa pastel, rosa oscuro y rosa claro *(véase pág. 210)*, y verterla dentro de los biberones con punta fina.

9 Usar glasa fluida de color azul pastel para trazar una gruesa línea alrededor de toda la mariposa, inmediatamente llenar el resto de la mariposa con glasa fluida color azul pastel claro. Con el biberón de punta fina con glasa fluida color rosa claro hacer un punto y luego cuatro en cruz. Con el biberón de punta fina con glasa fluida color rosa oscuro hacer un punto dentro del punto rosa claro del centro. Con el biberón con glasa fluida color rosa pastel completar alrededor del centro con puntos para terminar de hacer las florecillas. Para finalizar colocar 2 rositas de azúcar en el centro de la mariposa *(véase pág. 211)*.

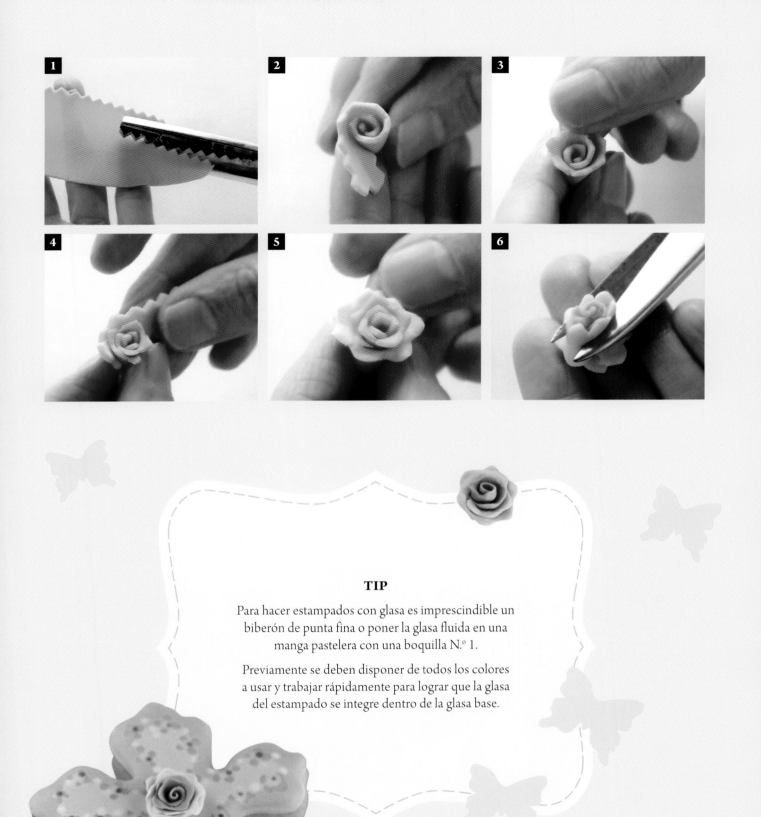

117

TIP

Para hacer estampados con glasa es imprescindible un biberón de punta fina o poner la glasa fluida en una manga pastelera con una boquilla N.º 1.

Previamente se deben disponer de todos los colores a usar y trabajar rápidamente para lograr que la glasa del estampado se integre dentro de la glasa base.

Springerle

Las galletas Springerle son unas
antiguas galletas alemanas que
generalmente se preparan para Navidad.
Son blancas con sabor a anís y
llevan una imagen de distintos motivos
estampados sobre su superficie con
moldes o rodillos de madera.

Los moldes de Springerle son valorados como un tesoro familiar que pasan de generación en generación de madres a hijas a través de los siglos junto con las antiguas recetas celosamente guardadas.

Yo comencé a preparar galletas Springerle hace casi diez años gracias al regalo de mi querida amiga Erika, que no solo me regaló unos antiguos y maravillosos moldes pertenecientes a su familia alemana, sino que compartió conmigo sus antiguas recetas familiares. Las galletas Springerle son un clásico de Cakes Haute Couture para Navidad.

Receta

Materiales
Moldes o rodillo de galletas Springerle
Rodillo
Cuchillo

Ingredientes (para aproximadamente 30 galletas dependiendo del tamaño)
3 huevos (a temperatura ambiente)
375 g de azúcar glasé
60 g de mantequilla
(a temperatura ambiente)
¼ cucharadita de té de sal
½ cucharadita de té de levadura en polvo (*)
500 gramos de harina
½ cucharadita de aceite esencial de anís

(*) La receta original lleva hirschhornsalz o hartshorn (bicarbonato de amonio) un agente leudante que se utilizaba en pastelería en el siglo XVII; podría decirse que fue el precursor de la levadura en polvo que usamos ahora. En la actualidad raramente es usado en pastelería, pero es posible conseguirlo. Y prefiero preparar las Springerle con hartshorn ya que resultan con mejor textura, pero se puede reemplazar por la levadura en polvo: ½ cucharadita de té de hartshorn equivale a 1 cucharadita de levadura en polvo. Para reemplazar la levadura en polvo por el hartshorn para esta receta hay que mezclar 2 gramos de hartshorn en 1 cucharada sopera de leche, dejar reposar durante 1,30 h, y agregar a los huevos batidos.

Preparación

Batir los huevos durante 15 minutos en batidora a potencia máxima (con una batidora manual batir durante 20 o 25 minutos) hasta que los huevos queden de color muy claro. Esto es necesario para que las galletas salgan de color blanco.

Incorporar lentamente el azúcar glasé tamizado batiendo a baja potencia, luego incorporar la mantequilla y seguir batiendo hasta que la preparación esté cremosa. Agregar la sal y el aceite de anís.

Incorporar la levadura en polvo a la harina y tamizarla. Luego agregar la harina mezclando a velocidad mínima con la pala (Ka) o mezclar manualmente. Cuando la masa esté lista, terminar de ajustarla amasando bien en la mesa con un poco de harina hasta que no se pegue a las manos. La cantidad de harina para ajustar dependerá del tamaño de los huevos y de la humedad ambiente.

Sobre una superficie espolvoreada con harina estirar la masa con rodillo, y con un pincel, pincelar con poca harina los moldes y la superficie de la masa estirada. Cortar la masa en trozos y presionar en los moldes. Retirar los moldes y cortar las galletas con un cuchillo.

Disponer las galletas en una bandeja cubierta con papel de horno y dejarlas reposar descubiertas entre 9 y 24 h.

Hornearlas a 150° aproximadamente por 10 minutos, dependiendo del tamaño de las galletas: estas no deben dorarse ya que perderían su característico color blanco.

Se pueden envasar en bolsas de celofán o conservar en latas durante meses y mejora su sabor con el tiempo.

Moldes

Caniches

Estos adorables y presumidos caniches con sus sofisticadas casitas pueden ser parte de un cumpleaños para niñas o de una fiesta con una temática parisina. En ambos casos harán sonreír a todos con su estilo *très chic*.

Receta

Ingredientes

10 galletas caniche, y 10 galletas casita de perros, hechas con la masa para galletas de vainilla *(véase pág. 206)*

2 fórmulas de glasa real *(véase pág. 208)*

Colorante alimentario en pasta de color rosa

Colorante alimentario en pasta de color negro

Azucar cristal *(cristal sugar)* color blanco

Azucar blanco común

Caramelos translúcidos color rosa

Rotulador de tinta comestible color negro

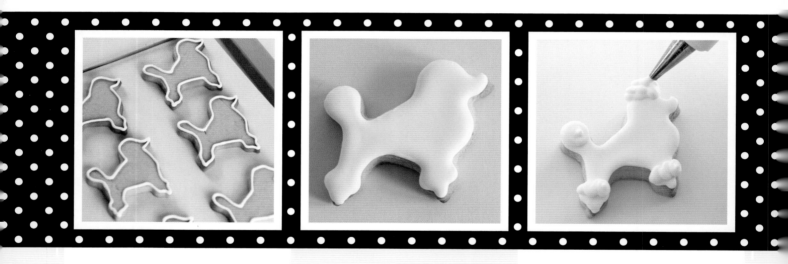

Paso a paso

1 Para glasear las galletas de perros caniche, con una manga pastelera con una boquilla redonda lisa N.º 3 realizar el contorno correspondiente a los perros, con glasa real color rosa claro para unos y con glasa real blanca para otros *(véase pág. 211)*.

2 Hacer glasa fluida blanca y rosa claro *(véase pág. 210)*, verterla dentro de biberones y rellenar las galletas de perros, unos blancos y otros rosa claro. Dejar secar durante 24 h.

3 Una vez secas las galletas, con una manga pastelera con una boquilla N.º 3 redonda lisa, con glasa blanca para los perros blancos y rosa para los rosa, hacer un pompón en la cola y en las patas, y en la cabeza un zigzag con glasa, y finalmente una gota para la oreja.

Materiales

Cortador de perro caniche y de casita
Cortador de puertas
Mangas pasteleras
Adaptadores de plásticos para boquillas
Boquilla redonda lisa N.º 3
Boquilla redonda lisa N.º 2
Biberón de plástico
Biberón de plástico de punta fina

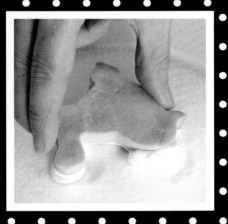

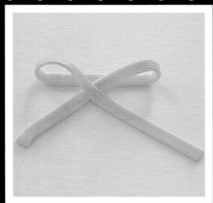

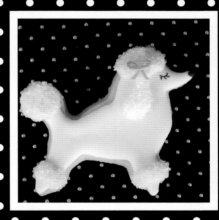

4 Inmediatamente apoyar la galleta sobre un plato con azúcar cristal de color blanco y rebozar hasta cubrir bien la glasa fresca con el azúcar.

5 Cortar una tira muy delgada de pasta de goma de color fucsia de 3 cm de largo y hacer el pequeño lacito curvando la tira de pasta de la forma en que se muestra en la foto. Pegarlo con una gotita de glasa sobre la oreja del caniche.

6 Finalmente, con glasa de color negro hacer una perlita en la punta de la nariz, y con el rotulador de tinta comestible negro dibujar una línea curvada con tres pestañas para los ojos.

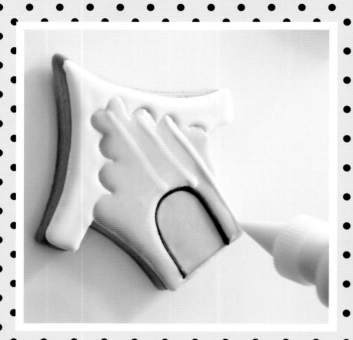

7 Para hacer las casitas de perro, luego de cortar las galletas con el cortador de casita, disponerlas en la bandeja con papel de horno, y con el cortador de puertas quitar la parte de masa correspondiente. En la abertura que queda colocar el caramelo picado en trozos finos *(véase pág. 159)*.
Hornear las galletas durante 10 minutos a 180º C. Al sacarlas del horno dejarlas reposar por lo menos durante 3 o 4 horas hasta que el caramelo solidifique.

Si no se quiere hacer la puerta de caramelo, simplemente dibujar su contorno con glasa rosa. Para glasear las galletas, con una manga pastelera con una boquilla redonda lisa N.º 3 realizar el contorno correspondiente al tejado en color blanco y del resto de la casa en color rosa.

Hacer glasa fluida blanca, verterla dentro de un biberón y rellenar la parte correspondiente al tejado. Luego con glasa fluida rosa rellenar el resto de la casa. Con un biberón de punta fina con otro tono de glasa rosa (para algunas casitas puede ser más clara y en otras más oscura) inmediatamente trazar líneas rectas como se muestra en la foto. Por último, con un biberón de punta fina con glasa fluida de color negro hacer pequeños lunares a los lados de las líneas trazadas anteriormente. Dejar secar durante 24 h.

8 Para terminar, con una manga pastelera y una boquilla redonda lisa N.º 2 dibujar el contorno del tejado en forma ondulada como se muestra en la foto, y con la misma glasa hacer tres perlitas sobre la puerta. Acto seguido apoyar la galleta sobre un plato con azúcar blanca común y rebozar hasta cubrir bien la glasa.

TIP

Cuando se realiza la técnica de estampado en glasa, llamada *"wet on wet"* con un color dentro de otro, es absolutamente imprescindible tener todos los colores de glasa fluida que se van a utilizar preparados antes de empezar y se debe trabajar con cierta rapidez para que no se seque la glasa base y el diseño quede integrado dentro de la misma.

La hora del té ya no es solo un ritual clásico sino que se ha convertido en una opción elegante y refinada para celebrar cualquier ocasión especial.

High Tea

El éxito de la celebración siempre comienza con la elección de un bonito mantel, finas tazas de porcelana, flores, y una selección de deliciosos dulces. Entre ellos propongo estas delicadas galletas, que no solo acompañan perfectamente la mesa del té, sino que también pueden ser regaladas como un dulce recuerdo para los invitados.

Receta

Ingredientes

8 galletas tarta, tetera y tazas de té hechas con la masa para galletas de vainilla *(véase pág. 206)*

2 fórmulas de glasa real *(véase pág. 208)*

Colorante en pasta alimentario color turquesa

Pasta de modelar de color blanco *(véase pág. 203)*

Colorante en polvo blanco perlado

Colorante en polvo color oro

Perlas blancas de azúcar

Mantequilla

Materiales

Cortador de tarta, tetera y taza de té

Cortador de flores pequeñas de 6 y 8 pétalos tamaño pequeño

Huevera de plástico

Bolillo

Tapete grueso de goma EVA *(flower pad)*

Mangas pasteleras

Adaptadores de plástico para boquillas

Boquilla redonda lisa N.º 1

Boquilla redonda lisa N.º 3

Boquilla redonda lisa N.º 4

Biberón de plástico

1 Para hacer las florecillas *(véase pág. 204)* que adornan la tarta y la tetera, engrasar ligeramente la superficie de trabajo con mantequilla, y con un rodillo estirar pasta de modelar de color blanco de aproximadamente 1 mm de grosor. Con los cortadores de flores pequeñas cortar 7 flores con el cortador de 5 pétalos y 6 flores con el cortador de 8 pétalos que se utilizarán para la tarta y para la tetera. Colocar las florecillas sobre un tapete grueso de goma EVA y afinar los pétalos presionando en el centro de cada flor con un bolillo. Dejar secar las flores en una huevera de plástico. Con un pincel pequeño colocar una gota de pegamento comestible en el centro de cada flor y pegar una perla blanca de azúcar presionando sobre ella para que quede bien adherida.

2 Para glasear la galleta tarta, con una manga pastelera con una boquilla N.º 3 realizar el contorno correspondiente a la tarta con glasa real color turquesa claro, luego con una manga pastelera con una boquilla N.º 3 con glasa real de color blanco hacer el contorno del soporte de la tarta. Previamente se puede dibujar con un rotulador de tinta comestible o marcar con un alfiler la forma del soporte de la tarta como guía para el trazado con la manga de glasa de color blanco.

Para glasear las teteras, con una manga pastelera con una boquilla N.º 3 realizar el contorno correspondiente a las mismas, una con glasa real color turquesa claro, y otra con glasa real color blanco. Para las tazas de té, hacer el contorno de la taza blanca con glasa blanca y con glasa color turquesa claro el contorno de la otra taza. Con mangas pasteleras con boquillas N.º 4 trazar las asas de las tazas, con glasa real color blanco para la taza color turquesa claro y para la taza blanca con glasa real color amarillo, siguiendo la forma curvada que se ve en la foto.

3 Hacer glasa fluida color turquesa claro *(véase pág. 210)*, verterla dentro de un biberón y rellenar la parte correspondiente a la tarta. También rellenar la tetera y la taza de té.

4 Hacer glasa fluida blanca, verterla dentro de un biberón y rellenar la parte correspondiente al pie de la tarta, rellenar también el interior de la tetera blanca y de la taza de té blanca.

5 Dejar secar las galletas glaseadas durante 24 horas y luego con una manga pastelera con una boquilla N.º 1 y glasa blanca hacer en la base de cada piso de la galleta tarta un borde con cuatro perlitas dispuestas en forma de cruz como se ve en la foto *(véase pág. 213)*.

6 Derretir un poco de mantequilla y con un pincel pequeño pincelar ligeramente solo la parte blanca correspondiente al soporte de la galleta tarta, y luego con un pincel grande tipo brocha, pasar polvo perlado blanco, únicamente sobre esta superficie engrasada con mantequilla: esto dará un efecto perlado brillante.

7 Por último, con una gotita de glasa pegar las florecillas de azúcar sobre la galleta.

8 Para decorar la tetera blanca, trazar una línea a lo largo del pie con glasa de escribir blanca *(véase pág. 208)* y con una boquilla N.º 1 hacer una fila de tres perlitas arriba y a lo largo de la línea de glasa. Hacer una línea en la base de la tapa y una fila de tres perlitas, al igual que en el pico de la tetera. Completar el asa con una fila de tres perlitas y con un punto de glasa pegar una florecilla en el centro de la tetera.

9 Para terminar la taza turquesa, con una manga pastelera con glasa de escribir fluida *(véase pág. 210)* y una boquilla N.º 1 trazar una línea a lo largo del pie del plato, otra en la base de la taza y dos líneas formando una elipse en la parte superior de la taza.

10 Para terminar la taza blanca, con una manga pastelera con glasa blanca para escribir *(véase pág. 208)* y una boquilla N.º 1 trazar una línea a lo largo del pie del plato, otra en la base de la taza y dos líneas formando una elipse en la parte superior de la taza. Disponer perlitas blancas en la base del plato y en la parte superior de la taza, y pegar con un punto de glasa una flor blanca en el centro. Pintar con un pincel fino el asa con colorante en polvo color oro disuelto en alcohol blanco, por ejemplo vodka o ginebra.

11 Para terminar la tetera turquesa trazar una línea con una manga pastelera con glasa blanca para escribir *(véase pág. 208)* y una boquilla N.º 1 a lo largo del pie. Trazar una línea en la parte superior del pico y dos líneas paralelas en la base de la tapa. Completar con una perla blanca en la tapa y disponer algunas perlas en el asa. En el centro de la tetera con una boquilla N.º 4 hacer una gran perla con glasa turquesa, aplanar un poco con un pincel humedecido en agua y rodearla de perlas.

TIP
En las galletas es conveniente limitar el uso de perlas de azúcar porque son duras; como alternativa recomiendo usar perlas de cereal o hacerlas de glasa real.

Árboles del jardín

Un picnic, una merienda en el jardín o en el campo son una forma original de celebrar cualquier ocasión, y estas deliciosas galletas de naranja inspiradas en los árboles de primavera adornarán la mesa con el encanto de su estilo rústico y chic.

Paso a paso

Ingredientes

6 galletas arbolitos hechas con la masa para galletas de naranja *(véase pág. 206)*
2 fórmulas de glasa real *(véase pág. 208)*
Colorante alimentario en pasta de color rosa
Colorante alimentario en pasta de color verde
Colorante alimentario en pasta de color amarillo huevo
Azúcar
Pasta de modelar de color blanco *(véase pág. 203)*
Colorante alimentario en polvo de color amarillo

Materiales

Cortador de círculo con ondas
Plantilla de maceta *(véase pág. 219)*
Mangas pasteleras
Adaptadores de plástico para boquillas
Boquilla redonda lisa N.º 3
Biberón de plástico
Biberón de plástico de punta fina
Palitos de brochetas
Palillos
Cortador de flor pequeña de 5 pétalos

TIP

Antes de comenzar a estampar las galletas con glasa ver el procedimiento detallado en la página 211. El secreto para que los estampados salgan perfectos es usar un biberón de punta fina o colocar la glasa fluida dentro de una manga pastelera con una boquilla N.º 1 y ejercer una presión muy suave con el biberón o manga para mantener el control de la glasa para dibujar.

1 Para hacer las galletas árboles del jardín estirar la masa con un rodillo. Cortar con un cuchillo las piezas de la maceta siguiendo los patrones hechos de cartulina, y con el cortador de círculo con ondas la parte de la copa del árbol. Disponer las galletas en la bandeja donde se van a hornear, y una vez allí insertar el palito de brocheta, primero en la maceta, hasta la mitad de la misma, realizando una leve presión en el lugar por donde se introduce para fijarlo.

2 Luego introducir el palito en el centro del círculo hasta la mitad de la galleta, también presionando con el dedo en el sitio por donde entra para que al terminar de hornearse la galleta no se mueva o se salga del palito.

3 Para glasear las macetas, con una manga pastelera con glasa real para escribir color blanco y con otra glasa real para escribir color rosa, ambas con una boquilla N.º 3, realizar el contorno correspondiente a las macetas, unas de color blanco y otras de color rosa.

4 Llenar dos biberones de punta fina, uno con glasa fluida blanca y otro con glasa fluida de color rosa. Con la glasa blanca rellenar toda la superficie de la maceta y con el biberón con glasa rosa inmediatamente realizar lunares en toda su superficie *(véase pág. 211)*. Para las otras macetas rellenar con glasa fluida rosa y hacer los lunares con glasa blanca.

5 Para glasear las copas de los árboles preparar glasa real para escribir color verde y, con una manga pastelera con una boquilla N.º 3, realizar el contorno correspondiente a los círculos.

6 Luego preparar un biberón con glasa fluida verde y otro con glasa fluida verde claro a la que se le agregará unas gotas de colorante amarillo huevo para que sea un verde más cálido.

7 Primero rellenar toda la copa del árbol con glasa fluida verde. Luego hacer pequeños puntos espaciados con la glasa fluida rosa y alrededor de cada punto rosa hacer cinco pequeños puntos con glasa fluida blanca, para formar las florecillas. Después hacer lunares más grandes en los espacios que quedan libres entre las florecillas y con la punta de un palillo desde el centro de cada lunar estirar hacia fuera para darle forma de hoja como se muestra en la foto. Dejar secar 24 horas y con una manga con boquilla redonda N.º 3 y glasa blanca trazar una línea en la maceta y rebozarla en azúcar. Pegar la flor a un lado y atar un lazo de tela en el palito de cada arbolito.

8 Para hacer la flor blanca de la maceta, *véase página 204*.

Cookies pajaritos

Estas galletas de pajaritos multicolores son una deliciosa sorpresa para ofrecer a tus invitados. El color y el estampado de glasa real son la clave de estas cookies que, dispuestas estratégicamente en la mesa, impresionarán a todos con un encantador sentido del estilo.

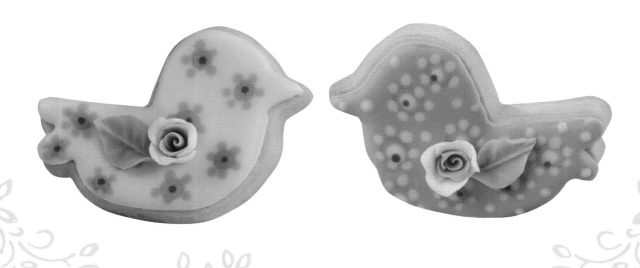

Paso a paso

Ingredientes

6 galletas pajaritos hechas con masa para galletas de limón *(véase pág. 206)*
2 fórmulas de glasa real *(véase pág. 208)*
Colorante alimentario en pasta de color blanco
Colorante alimentario en pasta de color rosa
Colorante alimentario en pasta de color rosa empolvado *(dusty pink)*
Colorante alimentario en pasta de color verde seco
Colorante alimentario en pasta de color amarillo huevo
Colorante alimentario en pasta de color burdeos
Mazapán para moldear 50 g aprox. *(véase pág. 201)*

Materiales

Cortador de pajarito
Mangas pasteleras
Adaptadores de plástico para boquillas
Boquilla redonda lisa N.º 3
Biberones de plástico
Biberones de plástico de punta fina
Palitos de brochetas
Cortador de pétalo de rosa y hojas pequeñas
Texturizador plástico o de silicona de forma de hojas
Bolillo
Tijera
Pegamento comestible

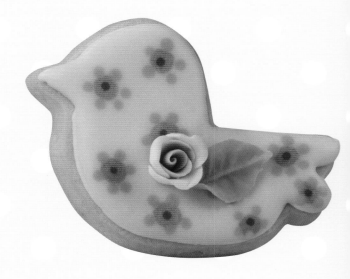

1 Para hacer las galletas pajaritos estirar la masa con un rodillo y cortar con el cortador de pajaritos 6 piezas. Luego disponer las galletas en la bandeja donde se van a hornear y en cuanto estén colocadas, insertar el palito de brocheta en el centro del pajarito hasta aproximadamente la mitad del mismo realizando una leve presión en el lugar por donde se introduce para fijarlo. Una vez insertado el palito hornear las galletas.

2 Preparar glasa real de escribir, de color blanco, verde seco claro, verde seco oscuro, rosa claro, rosa oscuro, amarillo, burdeos y rosa empolvado. Con glasa real para escribir color rosa hacer el contorno de un pajarito y los otros con glasa color amarillo, verde seco claro, verde seco oscuro y rosa empolvado.

3 Para estampar las galletas *(véase pág. 211)*, preparar glasa fluida de color blanco, verde seco claro, verde seco oscuro, rosa claro, rosa oscuro, amarillo, burdeos y rosa empolvado, y llenar los biberones de punta fina con estos colores. Comenzar rellenando toda la superficie del pajarito de color verde seco. Luego con el biberón con glasa rosa oscuro hacer grandes lunares en toda la superficie de la galleta, dentro de cada uno de estos lunares hacer unos más pequeño con glasa blanca, y dentro de este uno más pequeño aún con glasa color burdeos. Luego con el biberón con glasa color verde seco claro hacer pequeños puntitos alrededor de los lunares grandes, formando así el diseño de una flor. Finalmente con el biberón de glasa blanca, hacer pequeños puntitos en los espacios libres entre flor y flor.
Para el resto de los pajaritos, proceder de la misma forma ya que los diseños son similares, siguiendo la misma combinación de colores que se ve en la foto. *(véase pág. 139)*.

4 Para hacer las pequeñas rosas y hojas de mazapán que decoran el centro de los pajaritos, teñir tres bolitas de mazapán de aproximadamente 5 cm de diámetro, una con colorante blanco, otra poco con colorante rosa y la última con una pequeña cantidad de colorante verde seco.

5 Estirar con un rodillo, mazapán de color rosa de unos 2 mm de espesor, sobre una superficie lisa previamente engrasada con mantequilla o margarina. Con el cortador de pétalos cortar dos pétalos para hacer el centro de la rosa, afinar los bordes con un bolillo y enrollar el primer pétalo formando

una espiral. Afinar el borde del siguiente pétalo y pegarlo con una suave presión con los dedos al pétalo con el que se ha formado el centro. Luego estirar mazapán de color blanco y cortar dos pétalos. Afinar los bordes de cada uno y pegarlos a la rosa uno enfrentado con el otro. Curvar los pétalos con los dedos para darle forma a la rosa. Finalmente con la tijera cortar la base de la rosa de forma horizontal para quitar el exceso de pasta sobrante *(véase pág. 205)*. Para hacer las hojas estirar mazapán verde claro de unos 2 mm de espesor, y con el cortador de hojas cortar una para cada pajarito, colocarla sobre el texturizador de hojas y presionar para marcar las nervaduras.

6 Pincelar la base de las rosas y las hojas con una pequeña cantidad de pegamento y adherirlas al centro de los pajaritos una vez que la glasa de los mismos esté seca. Para terminar de decorar, atar sobre el palito un pequeño lazo de tela.

TIP

Si se desea presentar las cookies pajaritos en pequeñas macetas, llenarlas previamente de azúcar común apenas humedecida con unas gotitas de agua, haciendo presión con los dedos para compactarla. Clavar allí los palitos de las galletas y dejar transcurrir un par de horas para que el azúcar se seque. Finalmente para darle un bonito acabado a la maceta poner una pequeña cantidad de azúcar de colores o nonpareils en tonos armónicos con las cookies cubriendo la superficie de la misma.

Huevos
de Pascua

Las cookies en forma
de huevo de Pascua son un clásico de esta celebración,
y para darle un toque nostálgico a la ocasión me
decidí por el estilo vintage. El diseño tiene
dibujos de glasa que imitan broderies y
encajes de bolillo con una aplicación
de flores impresas en papel de
azúcar con tinta
comestible.

Vintage

Receta

Ingredientes

10 galletas huevos de Pascua hechas con masa para galletas
de vainilla *(véase pág. 206)*
Glasa real *(véase pág. 208)*
Colorante alimentario en pasta de color rosa
Colorante alimentario en pasta de color beige
1 hoja A4 de azúcar impresa en impresora de tinta comestible
con estampado de flores
Pegamento comestible

Materiales

Cortador de huevo de Pascua o de óvalo
Mangas pasteleras
Adaptadores de plástico para boquillas
Boquilla redonda lisa N.º 3
Boquilla redonda lisa N.º 2
Biberón de plástico
Tijera

1 Para glasear las galletas de huevo de Pascua, con una manga pastelera con una boquilla N.º 3 realizar el contorno de la mitad de las galletas con glasa real color rosa claro. Luego con una manga pastelera con una boquilla N.º 3 con glasa real de color beige hacer el contorno de las otras.

2 Hacer glasa fluida rosa y beige. Verterla dentro de los biberones y rellenar las galletas. Dejar secar 24 h.

3 Una vez que la glasa haya secado, recortar 10 corazones de papel de azúcar impreso en tinta comestible con estampado de flores y pegarlos en el centro de los huevos de Pascua pincelando el papel con muy poca cantidad de pegamento comestible.

4 Luego con una manga pastelera con glasa blanca de escribir y una boquilla N.º 2 hacer el contorno de los corazones en forma ondeada como se ve en la foto.

5 Hacer cinco de las galletas dibujando con la manga pequeñas flores de cuatro pétalos y pequeños círculos entre las flores, imitando un broderie. En las cinco cookies restantes trazar líneas irregulares con la misma manga pastelera y conectarlas entre sí, luego hacer un puntito de glasa en la intersección de las líneas como se ve en la foto.

TIP

Los papeles de azúcar hay que imprimirlos con una
impresora de tinta comestible. También se puede
encargar una impresión a algunas tiendas on-line
de materiales para sugarcraft enviando
por e-mail el diseño o foto
que quieras reproducir.

Patchwork

Hace varios años que vengo utilizando el estilo patchwork en mis creaciones. Uno de los recursos que uso es la aplicación de hojas de azúcar estampadas con impresora de tinta comestible con distintos diseños, tanto en pasteles como en cupcakes, y también en galletas. El tierno oso en 3D que aquí presento es una cookie perfecta para regalar como detalle en un baby shower, un bautizo o en el primer cumpleaños del bebé.

Receta

Ingredientes

4 galletas oso hechas con masa para galletas
de vainilla *(véase pág. 206)*
Glasa real *(véase pág. 208)*
Colorante alimentario en pasta color azul bebé
Fondant de color rosa claro
Fondant de color rosa oscuro o sprinkles rosa en
forma de corazón
Fondant de color marrón
1 hoja de azúcar impresa en impresora de tinta
comestible con estampados variados
Pegamento comestible

Materiales

Cortador de oso 3D
Cortador mini de corazón o sprinkles en forma
de corazón
Manga pastelera
Adaptador de plástico para boquillas
Boquilla redonda lisa N.º 1
Biberón de plástico
Tijera
Tijera dentada
Perforador de papeles de corazón
Pincel
Esteca de U y festón

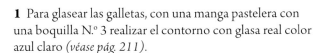

1 Para glasear las galletas, con una manga pastelera con una boquilla N.º 3 realizar el contorno con glasa real color azul claro *(véase pág. 211)*.

2 Hacer glasa fluida azul claro, verterla dentro del biberón y rellenar las galletas. Dejar secar 24 h.

3 Una vez que la glasa haya secado cortar con el perforador de papel de corazón una pieza de papel de azúcar impreso en tinta comestible con estampado vichy rosa y con la tijera dentada cortar 9 piezas de estampados variados. Luego, con una tijera común cortar dos pequeños óvalos para pegar sobre las orejas de papel comestible de lunares y vichy.

4 Pegar los papeles comestibles pincelándolos con muy poca cantidad de pegamento comestible sobre la galleta y dispuestos en la forma que se muestra en la foto.

5 Para hacer el hocico del oso, hacer una bolita de unos 3 cm de diámetro con fondant color rosa y afinarla en el centro para formar un cilindro.

6 Aplanar un poco el cilindro y curvar los extremos hacia arriba para darle forma al hocico. Luego con la esteca en forma de U marcar una sonrisa en la boca.

7 Luego con el otro extremo de la esteca en forma de festón, marcar el corte del hocico desde el centro de la sonrisa, como se muestra en la foto.

8 Pegar el hocico en la parte inferior de la cabeza del oso, estirar fondant rosa oscuro y cortar un corazón para la nariz o usar un sprinkle en forma de corazón y pegarlo con un poco de pegamento comestible.

Con fondant marrón hacer dos pequeñas bolitas del mismo tamaño y pegarlas como ojos. Con el fondant rosa claro hacer también dos pequeñas bolitas de 2 cm de diámetro y aplastarlas. Luego con la parte posterior del pincel hacer cuatro agujeros en cada círculo para formar el botón que irá pegado en el brazo del oso.

Para terminar, con una manga pastelera con glasa blanca de escribir y una boquilla N.º 1 hacer las costuras que atraviesan el centro del oso, el contorno del corazón y de las orejas y los hilos cruzados en cada botón. Finalmente con un punto de glasa pegar los brazos y las patas al cuerpo del oso, como se muestra en la foto.

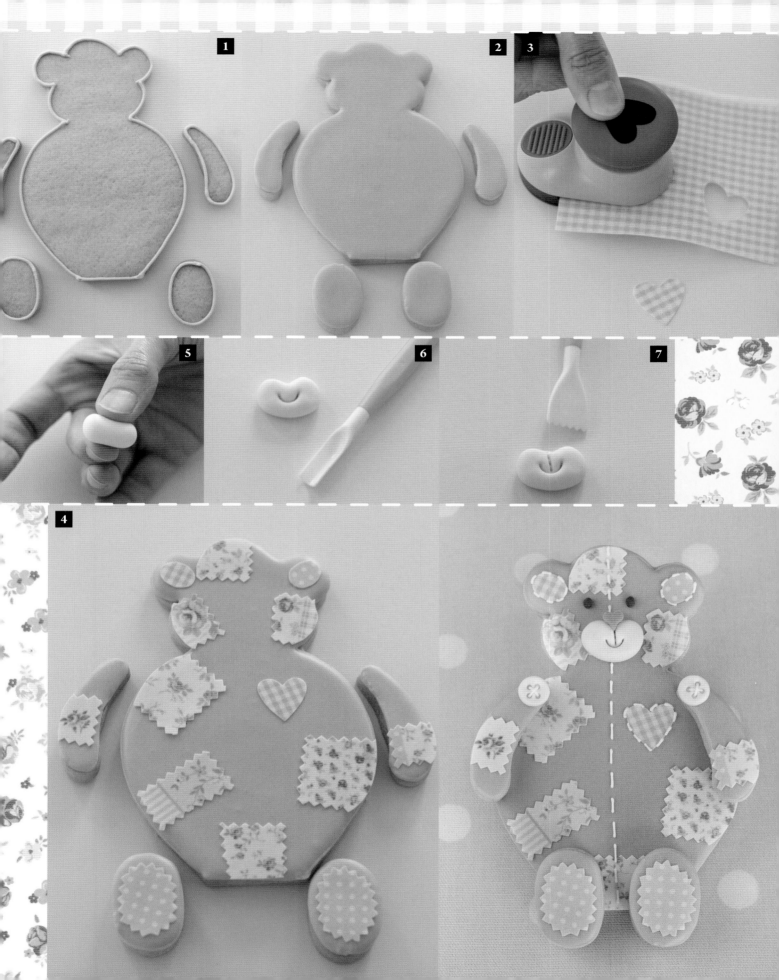

Violeta, lavanda y rosas

Adoro la Provenza y me deleita el maravilloso aroma de la lavanda florecida y de los campos de flores con violetas y rosas. Inspirándome en los perfumes y en la estética de esta región francesa diseñé estas delicadas cookies que evocan su naturaleza y charme. Mi receta es una de las más solicitadas de Cakes Haute Couture.

Con la técnica del estarcido le darás un toque sofisticado a las cookies con mucho menos trabajo del que parece.

Receta

Ingredientes

20 galletas hechas con la masa para galletas
de violetas, lavanda y rosa *(véase pág. 207)*
Glasa real de punto duro *(véase pág. 209)*
Colorante alimentario en pasta color rosa
Colorante alimentario en pasta color violeta
y lila
Azúcar común

Materiales

Cortador de círculo
de aproximadamente 6 cm de diámetro
Cortadores de flores pequeñas:
nomeolvides, verbena y petunia
Plantillas para esténcil
Manga pastelera
Adaptador de plástico para boquillas
Boquilla redonda lisa N.º 3
Espátulas

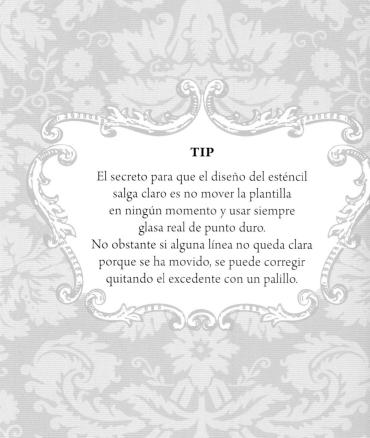

TIP

El secreto para que el diseño del estáncil
salga claro es no mover la plantilla
en ningún momento y usar siempre
glasa real de punto duro.
No obstante si alguna línea no queda clara
porque se ha movido, se puede corregir
quitando el excedente con un palillo.

Paso a paso

1 Preparar las galletas de distintos sabores y tonalidades
de rosa, violeta y lavanda. Cortar 10 galletas rosas en forma de
círculo y 10 de lavanda y violeta, y cortar también 20 galletas
rosas en forma de florecillas y 20 de violeta y lavanda.
Hornear los círculos en una bandeja diferente de las galletas
flor ya que las galletas de diferentes tamaños tienen distinto
tiempo de cocción, las pequeñas estarán listas antes.

2 Preparar glasa real de punto duro *(véase pág. 209)*.
Colocar la plantilla sobre la galleta sosteniéndola firmemente
con la mano: es importante que no se mueva en ningún
momento para que el dibujo salga claro. Con una espátula
colocar encima una pequeña cantidad de glasa y distribuirla
cubriendo toda la plantilla.

3 Volver a pasar la espátula para que la superficie quede lisa,
y quitar el excedente de glasa.

4 Inmediatamente levantar, con cuidado, con las dos manos
la plantilla sin mover hacia los lados al despegarla para que
el diseño salga limpio.

5 Con una manga pastelera con una boquilla N.° 3 y glasa
blanca hacer el centro de las florecillas marcando un punto
o varios y enseguida apoyarlas sobre azúcar común para darle
al centro un efecto escarchado. Pegarlas con un punto de glasa
sobre las galletas estarcidas cuando la glasa de las mismas
esté seca.

Cookies de Navidad

Estas casitas navideñas de pajarito son una variante de uno de los diseños más representativos de Cakes Haute Couture. La combinación del estampado de rosas en la glasa con el fino cristal de caramelo de las galletas las hace deliciosas y a la vez impactantes.

Receta

Ingredientes

12 galletas casita de pajarito hechas con la masa para galletas de vainilla *(véase pág. 206)*

3 fórmulas de glasa real *(véase pág. 208)*

Colorantes alimentarios en pasta o gel color rosa, azul bebé, blanco y verde seco

Caramelos translúcidos color verde y rojo

Una pequeña cantidad de pasta de modelar color rosa claro y oscuro, azul claro y oscuro y rojo

Bolígrafo negro de tinta comestible

Pegamento comestible

Materiales

Cortador de casita de pajarito

Cortador de círculo pequeño

Mangas pasteleras

Adaptadores de plástico para boquillas

Boquilla redonda lisa N.º 3

Boquilla de hoja pequeña

Biberones de plástico de punta fina

Palillos

Rodillo

Cortador de pétalo de rosa mini

Tijera

Pincel

1 Para hacer las casitas de pajarito cortar las piezas necesarias con el cortador, disponerlas en la bandeja con papel de horno y con el cortador de círculo quitarle el centro. Poner los caramelos dentro de una bolsa de plástico y con un rodillo golpearlos hasta que se rompan en trozos pequeños.

2 Colocar los caramelos en trozos en el hueco del centro de la casita, verificando que no sobrepasen la superficie de la galleta, ni que quede ninguno sobre la masa. Hornear las galletas a 180º C durante 10 minutos. Una vez horneadas, dejar enfriar sobre la bandeja durante 4 horas hasta que el caramelo esté completamente sólido.

3 Para glasear las galletas con una manga pastelera con una boquilla N.º 3 realizar el contorno correspondiente a la casita con glasa real azul claro para unas, y rosa para otras. Con glasa blanca hacer el contorno del tejado nevado como se ve en la foto. Hacer glasa fluida *(véase pág. 210)* de color azul claro, rosa claro y oscuro, blanco y verde claro y verterla dentro de los biberones con punta fina. Rellenar el fondo de la casita del color deseado (el paso a paso se muestra con el color rosa claro). Con el biberón con glasa rosa hacer inmediatamente 5 puntos formando una cruz, como se ve en la foto, para comenzar a hacer el estampado de rosas.

4 Con el biberón de punta fina con glasa fluida color rosa oscuro hacer 5 líneas cortas entre los puntos anteriores. Se debe trabajar muy rápidamente antes de que la glasa se seque, para que el estampado quede integrado con la glasa del fondo. Si se trabaja lentamente, la glasa comienza a secarse y el dibujo quedará en relieve y no fundido con el fondo.

5 Con el biberón de punta fina con glasa fluida blanca hacer 4 puntos en la base de cada punto rosa. Insertar un palillo dentro de las líneas color rosa oscuro y estirarlas haciendo una curva que rodee cada punto de glasa rosa para dibujar los pétalos. Hacer lo mismo con el centro dándole forma de espiral.

6 Con el biberón con glasa verde claro hacer puntos entre las rosas y estirar con el palillo para hacer hojitas. Con glasa fluida blanca rellenar el tejado. Dejar secar durante 24 h.

7 Una vez que la glasa esté seca, hacer las hojas alrededor del círculo de caramelo, para ello se deberá usar glasa real de punto duro *(véase pag. 209)*. Teñir la glasa de color verde seco claro y armar una manga pastelera con la boquilla de hoja pequeña. Antes de empezar véase el procedimiento para hacer hojas de glasa en la pág. 212.
Colocar la manga en un ángulo de 45º respecto de la galleta y presionar, para que las hojas no queden muy delgadas, dejando la manga inmóvil durante un par de segundos y luego estirar aflojando un poco la presión.

8 Para hacer el pajarito, sobre una superficie ligeramente engrasada con mantequilla estirar con un rodillo pasta de modelar rosa claro de aproximadamente 3 mm de espesor. Cortar las piezas necesarias con el cortador de pétalo mini. Mientras las piezas no se utilizan mantenerlas tapadas con una bolsa plástica para que no se sequen.

9 Tomar entre los dedos el pétalo, estirar la punta hacia arriba para hacer la cola del pajarito y presionar suavemente el otro extremo para afinar el cuello y formar la cabeza, como se puede ver en la foto.

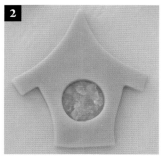

TIP

Las galletas con caramelo deben conservarse envueltas en bolsitas de celofán cerradas ya que después de 3 días de permanecer al aire, la capa fina de caramelo se humedece y se ablanda.

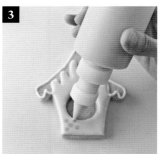

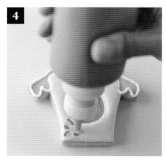

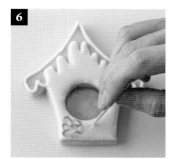

10 Hacer un pellizco en la parte lateral del centro de la cabeza, presionando y estirando suavemente para formar el pico.

11 Para hacer el ala, amasar una pequeña bolita de pasta de modelar color rosa oscuro, afinarla en un extremo y con los dedos aplastarla un poco y curvarla hacia arriba. Para hacer el gorro de Papá Noel, hacer una pequeña bolita de pasta de modelar color rojo, afinarla en un extremo, aplastarla un poco y curvarla hacia arriba formando el gorro. Con la tijera cortar la base como se puede ver en la foto.

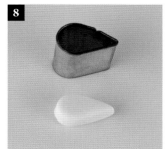

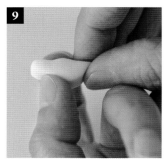

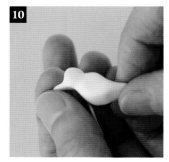

12 Pegarle el ala y el gorro al pajarito. Con el bolígrafo alimentario negro hacer un puntito para el ojo y con una manga pastelera con glasa blanca hacer el borde blanco y el pompón de la punta del gorro de Papá Noel. Pegar el pajarito a la galleta con un punto de glasa blanca y con la misma manga hacer pequeños puntitos, a modo de copos de nieve, sobre la corona de hojas.

Las casitas y los pajaritos se pueden hacer de distintos colores pastel en armonía con la decoración de la mesa. También se pueden hacer algunas galletas en forma de copo de nieve estampadas en glasa y terminadas con tres perlas de glasa blanca en cada punta y apoyarlas suavemente sobre un plato de Non Pareils blancos para que estos se peguen a la glasa imitando copos de nieve.

Macarons
de Alta Costura

Macarons

Estos pequeños pastelitos a base de almendras y merengue,
crocantes en el exterior y con un corazón tierno en su interior,
rellenos de las cremas más fundentes y deliciosas,
son una verdadera institución francesa.

Mis macarons, gourmands, refinados y de colores infinitos son
la quintaesencia de la pastelería chic y, como se merecen,
los he vestido de alta costura. Las decoraciones son también tiernas
y delicadas como su textura.

El resultado de su elaboración será absolutamente exitoso
siguiendo las instrucciones con precisión.

Macarons
de Fresa con Sorpresa

Estos macarons son un deleite para
el paladar, combinan su suave sabor y
textura con una ligera confitura de fresa e
incluyen la sorpresa de una fresa fresca
en su interior.

Paso a paso

Ingredientes (para 20 macarons aprox. de 2 pisos)
Macarons *(véase pág. 214)*
Colorante alimentario en pasta o gel color rojo
Colorante alimentario en pasta o gel color amarillo
Colorante alimentario en pasta o gel color rosa
Confitura de fresas *(véase pág. 216)*
10 fresas frescas
Pasta de modelar (50 g aprox.) *(véase pág. 203)*
Glasa real *(véase pág. 208)*
Colorante en polvo color oro
Colorante en polvo color rosa
Un poco de alcohol blanco como ginebra o vodka
Perlas de azúcar color oro
Pegamento comestible

Materiales
Mangas pasteleras
Adaptador de boquilla
Boquilla redonda lisa N.º 11 y N.º 6
Boquilla redonda lisa N.º 1
Rodillo
Cortador pequeño de cáliz de rosa
Pincel fino

1 Realizar los macarons siguiendo la receta de la página 214 . Utilizar la manga pastelera con boquilla N.º 11 para los macarons de tamaño grande y la boquilla N.º 6 para los macarons de tamaño pequeño. Rellenarlos con confitura de fresas, y colocar en el centro un trozo de fresa fresca.

2 Para decorarlos, poner el adaptador de boquilla y la boquilla N.º 1 en la manga pastelera, agregar glasa real teñida de amarillo claro y realizar los arabescos que se ven en la foto utilizando el método de gotas *(véase pág. 213)*.

3 Esperar aproximadamente 20 minutos a que la glasa se seque. Con colorante en polvo color oro disuelto en alcohol (vodka o ginebra) pintar con un pincel muy fino los arabescos de glasa.

4 Teñir pasta de modelar de color rosa claro, estirarla muy delgada, de aproximadamente 1 mm de espesor. Con el cortador de cáliz de rosa pequeño cortar las flores necesarias. Para que tomen forma curvada ponerlas a secar en una huevera, y con colorante rosa en polvo con un pincel fino colorear el centro *(véase pág. 204)*. Luego pincelar el centro de las flores con una pequeña cantidad de pegamento comestible y pegar en el centro de cada flor una perlita de azúcar dorada presionando para que no se despegue. Para terminar, pegar los macarons pequeños sobre los grandes con una gota de glasa real y después pegar las florecillas a los macarons, también con una gotita de glasa.

Spring Macarons

Los radiantes colores de estos macarons y las idílicas mariposas y rosas inglesas de azúcar que decoran el plato evocan el encantamiento de los jardines de primavera. ¿Qué mejor ocasión para endulzar un té primaveral, una romántica boda o una celebración al fresco que esta deliciosa y colorida colección de macarons?

Receta

Ingredientes (para 50 macarons aprox.)

Macarons *(véase pág. 214)*
Colorante en pasta o gel alimentario de color verde, rosa y amarillo
Relleno macarons de frambuesa *(véase pág. 216)*
Relleno macarons de vainilla *(véase pág. 216)*
Relleno macarons de limón *(véase pág. 217)*
Relleno macarons de pistacho *(véase pág. 216)*
Colorante alimentario en pasta o gel color amarillo para las tapas de los macarons de limón
Colorante alimentario en pasta o gel color verde para las tapas de los macarons de pistacho
Colorante alimentario en pasta o gel color rojo para las tapas de los macarons de frambuesa
Pasta de goma color rosa
Pegamento comestible
Purpurina comestible color plateado

Materiales

Mangas pasteleras
Boquilla redonda lisa N.º 11
Rodillo
Texturizador de mariposa
Cortador pequeño de hoja
Bolillo
Tijera
Pincel

Paso a paso

1 Realizar los macarons siguiendo la receta y procedimiento de la página 214 y rellenarlos luego con las cremas correspondientes.

2 Para hacer las mariposas que decoran el plato, sobre una superficie engrasada con mantequilla, estirar con el rodillo pasta de goma color rosa claro de aproximadamente 2 mm de espesor. Engrasar el molde texturizador de mariposas pincelándolo con mantequilla derretida. Quitar el exceso de mantequilla con un papel absorbente de cocina y colocar la pasta estirada sobre el texturizador.

3 Presionar la pasta con los dedos para que se marque bien, sobre todo en los bordes. Si no se ejerce suficiente presión la pasta no quedará correctamente texturizada.

4 Retirar la pasta del texturizador y recortar la mariposa con una tijera.

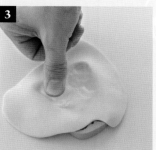

5 Pincelar con pegamento comestible los bordes de las alas de la mariposa.

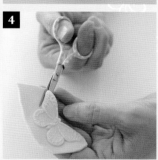

6 Introducir los bordes de la mariposa pincelados con pegamento en la purpurina comestible.

7 Finalmente plegar una hoja de cartulina en tres partes como se muestra en la foto y poner a secar la mariposa con las alas desplegadas.

8 Para hacer las rosas de azúcar seguir el procedimiento de página 205, usando un cortador de pétalo ondulado.

Art Macarons

Adoro los macarons y, para decorarlos, tenía que encontrar una técnica para que lucieran más fabulosos aún pero que no alterara sus deliciosos sabores. Pintándolos a mano con colorantes alimentarios naturales logré decorarlos de forma impactante y preservar su delicada textura y sabor.

Desde hace unos años mis macarons pintados son las piezas centrales de las fiestas más elegantes de los clientes de Cakes Haute Couture, y sin duda se transformarán también en el centro de atracción de tu mesa. Los diseños que realices dependerán de tu habilidad para pintarlos de forma artística.

Receta

Ingredientes (para 50 macarons aprox.)

Macarons *(véase pág. 214)*
Relleno macarons de frambuesa *(véase pág. 216)*
Relleno macarons de fresa y champaña *(véase pág. 216)*
Relleno macarons de vainilla *(véase pág. 216)*
Relleno macarons de café *(véase pág. 217)*
Relleno macarons de piña *(véase pág. 217)*
Relleno macarons de lima *(véase pág. 217)*
Colorante alimentario en pasta o gel color rojo
para las tapas de los macarons de frambuesa
Colorante alimentario en pasta o gel color amarillo
para las tapas de los macarons de piña
Colorante alimentario en pasta o gel color rosa
para las tapas de los macarons de fresa y champaña
Colorante alimentario en pasta o gel color marrón
para las tapas de los macarons de café
Colorante alimentario en pasta o gel color verde
para las tapas de los macarons de lima
Colorante alimentario líquido o en gel color blanco
Colorante en polvo color rosa perlado
Manteca de cacao

Materiales

Mangas pasteleras
Adaptador de boquilla
Boquilla redonda lisa N.º 11
Boquilla redonda lisa N.º 6
Pinceles finos

Paso a paso

1 Realizar los macarons siguiendo la receta y procedimiento de la página 214. Con la boquilla N.º 11 para los macarons grandes y con la N.º 6 para los pequeños, rellenarlos luego con las cremas correspondientes a cada uno. Para armar los "macarons pops" poner el relleno en el centro del macaron y colocar un palito de plástico en el centro del mismo y hasta la mitad del macaron, luego tapar con la otra tapita de macaron.

2 Para pintar los macarons con peonías mezclar colorante rosa con blanco y agregarle una pequeña cantidad de manteca de cacao derretida (esto es para que la pintura se seque enseguida y no ensucie al tocarlos, sin la manteca de cacao los colorantes alimentarios tardan mucho en secar). Para comenzar hacer dos tonos de rosa, uno claro y otro un poco más oscuro. Pintar un círculo rosa en el centro del macaron, luego con el color rosa más oscuro pintar los bordes de los pétalos dentro del círculo, como se muestra en la foto o mirando el patrón de peonía de la página 219. Luego dibujar con un pincel fino con el rosa más oscuro los pétalos externos de la flor y rellenarlos con el rosa más claro. Una vez terminada la flor dar pequeñas pincelada de colorante blanco en algunas partes de los pétalos para dar luminosidad. Para hacer las hojas, mezclar colorante verde seco con blanco. Para lograr dos tonos de verde uno más claro y otro más oscuro y mezclarlos con una pequeña cantidad de manteca de cacao derretida. Con un pincel fino pintar dos hojas en la base de las flores usando las dos tonalidades de verde como se ve en las fotos.

3 Para pintar el resto de los macarons, usar distintos tonos de rosa, blanco y verde para crear distintos diseños. Las florecillas pequeñas son fáciles de pintar, solo hay que hacer un punto de color en el centro y alrededor hacer pequeños pétalos en forma de coma con los distintos colores.

4 Pincelar los macarons rosa claro con colorante en polvo rosa perlado para darles brillo *(véase pág. 215)*.

5 Para armar el árbol redondo de macarons, forrar un corcho blanco con papel de seda verde e insertarle en el centro un palito de plástico. Clavar en el corcho palillos donde se quieran disponer los macarons. Pinchar los macarons en los palillos. Para armar el árbol en forma de abeto, usar un corcho blanco de forma cónica y proceder de la misma forma que el anterior para montar la pieza. Terminar atando un lacito rosa en los árboles y en los "macarons pops" y clavarlos en macetas rellenas también de piezas de corcho blanco cubiertas de perlas de azúcar.

Venezia

Para la decoración de estos macarons me he inspirado en el arte de la mágica Venecia, fantástica ciudad que es mi segundo hogar. Desde hace varios años vengo utilizando el oro comestible en todas mis creaciones, y este noble y lujoso producto encaja perfectamente para ser aplicado en los macarons ya que mantiene sus delicados sabores intactos.

Para capturar el espíritu veneciano he diseñado los dos pajaritos de oro y he enmarcado el attrezzo con los fabulosos tapices de Bevilacqua, donde se pueden encontrar terciopelos, damascos y brocados que todavía se hacen con telares del siglo XVIII, y sorprenden por su gran calidad artesanal y majestuosidad que reviven ocho siglos de tradiciones venecianas en tela.

Receta

Ingredientes (para 50 macarons aprox.)

Macarons *(véase pág. 214)*

Colorante alimentario en pasta o gel color verde hoja para las tapas de los macarons

Crema de tres cítricos para el relleno de los macarons *(véase pág. 217)*

Pasta de modelar color amarillo (para 2 pajaritos de 40 g aprox.) *(véase pág. 203)*

Mazapán para modelar (150 g aprox.) *(véase pág. 201)*

Láminas de oro comestible

Colorante alimentario en polvo color oro

Purpurina comestible dorada

Mantequilla

Un poco de alcohol blanco, como vodka o ginebra

Pegamento comestible

Materiales

Mangas pasteleras

Adaptador de boquilla

Boquilla redonda lisa N.º 11

Cortador y texturizador de margaritas

Cortador de corazón pequeño

Pinceles

Tijera

Paso a paso

1 Realizar los macarons siguiendo la receta de la página 214 utilizando una manga pastelera con boquilla N.° 11. Rellenarlos con la crema de tres cítricos.
Para cubrir los macarons con oro, pincelar con muy poca cantidad de pegamento comestible la superficie que se quiera dorar.

2 Tomar una lámina de oro comestible y sin separarla del papel protector colocarla encima del macaron en la parte pincelada con pegamento comestible y presionar con mucha delicadeza.

3 Retirar la hoja de oro y proceder de la misma forma con el resto de los macarons aprovechando lo que quede sin usar de esa misma hoja de oro.

4 Para hacer los pajaritos, teñir pasta de modelar de color amarillo, amasarla bien para flexibilizarla y hacer una esfera de aproximadamente 5 cm de diámetro.

5 Afinar la pasta en un extremo para formar la cabeza del pajarito.

6 Hacer un pellizco con los dedos en el centro de la cabeza del pajarito para formar el pico y afinarlo con los dedos.

7 Con un suave masaje afinar el cuello del pajarito.

8 Presionar la parte posterior del cuerpo del pajarito, aplastando la pasta para formar la cola.

TIP
Para modelar cualquier figura siempre se parte de una esfera, y para que esta no tenga grietas el secreto es amasar muy bien la pasta hasta que se pegue un poco en las manos, cuando ésta tenga buena flexibilidad hacer una bola colocando la pasta en el centro de las manos y presionando con bastante fuerza, hacerla rodar muy rápidamente hasta que no tenga ninguna grieta.

9 Con la tijera cortar la cola del pajarito de forma recta como se muestra en la foto y luego con un palito hacer dos agujeros a ambos lados de la cabeza para marcar los ojos.

10 Pincelar el cuerpo del pajarito con mantequilla derretida, y luego con una brocha pincelar con colorante en polvo color oro sobre todo el cuerpo del pajarito, quitando todo el exceso de polvo.

11 Sobre una superficie ligeramente engrasada con mantequilla estirar con un rodillo pasta de modelar color amarillo. Con un cortador de corazón pequeño cortar dos piezas. Afinar el extremo del corazón para formar el ala. Pincelar las alas con mantequilla derretida, rebozarlas en purpurina color oro y pegarlas a ambos lados del pajarito. Para terminar, con un pincel tomar una pequeña cantidad de purpurina color oro y esparcirla sobre el pajarito.

12 Para hacer las margaritas, con un rodillo estirar mazapán de aproximadamente 2 mm de espesor sobre una superficie ligeramente engrasada con mantequilla. Con el cortador cortar las piezas deseadas y disponerlas sobre el texturizador de margaritas y cerrarlo presionando con fuerza (*véase procedimiento en la página 187*). Luego colocar colorante en polvo dorado en un bol y añadir el alcohol claro, por ejemplo vodka o ginebra, hasta que se forme un colorante líquido y pintar toda la superficie de las margaritas. Una vez terminadas pegarlas sobre los macarons con una pequeña cantidad de pegamento comestible.

Bellini

El Bellini es un coctel hecho con Prosecco y
puré de melocotón, creado en 1948 en el célebre
Harry's Bar de Venecia por su propietario
Giuseppe Cipriani, gran amante del arte,
quien bautizó así su creación por su color rosa,
que le recordaba los rosas luminosos
característicos del pintor veneciano
Giovanni Bellini.

Para acompañar este mítico cóctel,
y como homenaje al Harry's Bar,
he creado estos macarons de espíritu
y sabor veneciano.

Mi diseño recrea el rosa de Bellini en el
color de los macarons y de las flores,
y el color negro de las góndolas
venecianas en las mariposas.

Receta

Cóctel Bellini

Llenar una copa flauta hasta la ¾ partes de Prosecco (vino espumosos italiano) bien frío (también se puede reemplazar por champaña), agregar ¼ parte de puré de melocotón y mezclar.

Crema Bellini

Ingredientes
1 sobre de gelatina en polvo neutra
3 melocotones
4 cucharadas soperas de Prosecco o champaña
1 huevo
1 yema de huevo
240 g de mantequilla a temperatura ambiente

Preparación
En un bol verter 3 cucharadas soperas de Prosecco o champaña, espolvorear en forma de lluvia la gelatina en polvo y mezclar. Dejar que se hidrate.

Hacer un puré con los melocotones. Poner en una olla el puré de melocotón con el huevo entero más la yema de huevo, revolver constantemente y llevar a ebullición. En cuanto comience a hervir retirar la preparación del fuego y agregar la gelatina, revolver hasta que se diluya completamente y llevar a la nevera durante 40 minutos. Pasado este tiempo agregar una cucharada sopera de Prosecco o champaña y la mantequilla a temperatura ambiente mezclándola bien con la preparación. Enfriar 3 h antes de usar.

Paso a paso

Ingredientes (para 50 macarons aprox.)

Macarons *(véase pág. 214)*

Colorante alimentario en pasta o gel color rosa para las tapas de los macarons

Colorante alimentario en polvo color rosa perlado

Pasta de goma color negro (50 g aprox.)

Chocolate plástico blanco (200 g aprox.) *(véase pág. 203)*

Colorante alimentario en pasta o en gel color rosa y color melocotón

Pegamento comestible

Glasa real (un poco) *(véase pág. 208)*

Mantequilla (un poco)

Cono de corcho blanco para la pirámide

Papel de seda color rosa para forrar la pirámide

Materiales

Mangas pasteleras

Adaptador de boquilla

Boquilla redonda lisa N.º 11

Rodillo

Placa texturizadora de mariposa

Cortador y texturizador de margaritas

Tijera

Pinceles

1 Realizar los macarons siguiendo la receta y procedimiento de la página 214, con la boquilla N.º 11. Luego perlarlos pincelando su superficie con una brocha y colorante en polvo comestible color rosa perlado *(véase procedimiento en página 215)*. Rellenarlos con la crema Bellini.
Para armar la pirámide de macarons, forrar un corcho blanco con papel de seda color rosa y clavarle palillos donde se dispondrán los macarons. Pinchar los macarons en los palillos.

2 Para hacer las mariposas, sobre una superficie engrasada con mantequilla estirar con el rodillo pasta de goma color negro de unos 2 mm de espesor. Engrasar el molde texturizador de mariposas pincelándolo con mantequilla derretida, quitar el exceso de mantequilla con un papel absorbente de cocina y colocar la pasta estirada sobre el texturizador. Presionar la pasta con los dedos para que se marque bien, sobre todo en los bordes; si no se ejerce suficiente presión la pasta no quedará correctamente texturizada. Retirar la pasta del texturizador y recortar la mariposa con una tijera.

Finalmente hacer tres pliegues en una hoja de cartulina y poner a secar la mariposa con las alas desplegadas por lo menos durante una hora *(véase pág. 169)*.

3 Para hacer las margaritas, teñir el chocolate plástico con una pequeña cantidad de colorante rosa y otra pequeña cantidad de colorante color melocotón, para conseguir el rosa Bellini. Luego con un rodillo estirar el chocolate plástico de aproximadamente 2 mm de espesor sobre una superficie ligeramente engrasada con mantequilla. Con el cortador cortar las piezas deseadas, disponer cada una sobre el texturizador de margaritas y cerrarlo presionando con fuerza *(véase procedimiento en la página 187)*.
Una vez terminadas pegarlas con un poco de pegamento comestible sobre los macarons y en los espacios entre macaron y macaron de la forma en que se ve en la foto.

4 Finalmente con una gota de glasa real pegar las mariposas negras sobre los macarons.

Macaron cake

Una idea para presentar los macarons de manera imaginativa es montarlos en forma de pastel de varios pisos y decorarlos de acuerdo a la celebración. Este diseño con hortensias de mazapán y detalles decorativos en glasa real es perfecto para una boda o una celebración romántica.

Receta

Ingredientes (para 12 macarons cake aprox.)
1 receta de macarons *(véase pág. 214)*
Colorante alimentario en pasta o gel color rosa
para las tapas de los macarons
Crema de naranja y flor de azahar para el relleno
de los macarons *(véase pág. 217)*
20 gajos de naranja para el relleno
Mazapán para moldear (50 g aprox.) *(véase pág. 201)*
Colorante en pasta o gel color verde seco,
para teñir el mazapán
Colorante alimentario en polvo color verde
Colorante alimentario en polvo rosa y blanco perlado
Mantequilla
Pegamento comestible
Glasa real blanca *(véase pág. 208)*

Materiales
Mangas pasteleras
Adaptadores de boquilla
Boquilla redonda lisa N.º 11, 8, 6 y 2
Rodillo
Cortador y texturizador de hortensias
Pinceles
Huevera de plástico

Paso a paso

1 Para hacer las hortensias, teñir el mazapán con una pequeña cantidad de colorante verde seco. En una superficie ligeramente engrasada con mantequilla, estirar el mazapán de aproximadamente 2 mm de espesor y con el cortador de hortensias cortar las piezas deseadas.

2 Disponer cada flor sobre el texturizador y cerrarlo presionando con fuerza.

3 Retirar la flor del texturizador y colocarla a secar dentro de la huevera durante por lo menos 30 minutos. Con un pincel fino, utilizando una pequeña cantidad de colorante en polvo impregnando bien el pincel, pero dejando todo el exceso en el papel de cocina, pintar dándole color solo al centro de las hortensias.

4 Siguiendo la receta de página 214, realizar las tapas de los macarons utilizando una manga pastelera con boquilla redonda lisa N.º 11 para los macarons grandes que tendrán un diámetro de 8 cm, con una boquilla N.º 8 para los medianos que tendrán un diámetro de 4 cm y con una boquilla N.º 6 para los pequeños que tendrán un diámetro de 2,5 cm. Para los macarons naturales no hay que colorear la masa; para los rosas teñir la masa con colorante rosa.
Hornearlos y, cuando estén fríos, con un pincel tipo brocha pincelar su superficie con colorante en polvo perlado blanco los macarons blancos y con polvo perlado rosa los rosas.

5 Rellenarlos con la crema de naranja y flor de azahar y colocar un gajo de naranja en el centro del macaron grande y trozos más pequeños en el centro de los macarons medianos y pequeños.

6 Pegarlos uno sobre otro con un punto de glasa real, formando un pastel de tres pisos y con un punto de glasa real pegar las hortensias sobre los macarons de la forma en que se ve en la foto.

7 Con una manga pastelera con glasa real blanca y una boquilla N.º 2 hacer en la parte central del lateral del macaron grande un lazo formado por gotitas de glasa. Comenzar trazando una V con dos gotitas y luego hacer una en el centro de la V. Repetir la operación del otro lado y luego hacer desde el centro dos líneas curvadas a modo de cinta, terminar con una perlita de glasa en el centro del lazo. Repetir este lazo en los laterales y en la parte trasera de los macarons. Terminar de decorar los macarons haciendo pequeños corazones de glasa en los laterales (*véase pág. 213*).

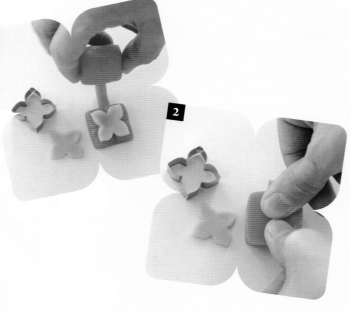

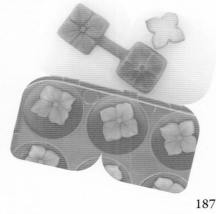

Recetas y Técnicas

En mis recetas siempre evito el exceso de azúcar y me gusta lograr
sabores equilibrados, deliciosos y con texturas fundentes al paladar.
Recomiendo usar ingredientes naturales de la mejor calidad
para obtener sabores maravillosos e inolvidables.

A través de cada una de las recetas, todas desarrolladas cuidadosamente y
probadas una innumerable cantidad de veces con resultados exitosos, pretendo
desterrar la idea de que la pastelería de diseño no puede ser tan absolutamente
deliciosa como fabulosa su decoración. Realmente se pueden crear
exquisitos sabores junto a fantásticos diseños.

En esta sección, además de las recetas, explico con claridad, paso a paso,
las diferentes técnicas de decoración que permiten crear verdaderas obras
de arte comestibles optimizando el tiempo empleado.

Cupcakes

Elaboración y horneado de los cupcakes

Para hornear los cupcakes se necesitan cápsulas de papel y una bandeja de aluminio para cupcakes, para que las cápsulas no se deformen por el peso de la masa.

Las cápsulas de papel se rellenan hasta sus ¾ partes. Para mayor rapidez yo prefiero usar una manga pastelera descartable para rellenarlas, pero también puede utilizarse una cuchara o una cuchara para bolas de helado, para así asegurarse de poner la misma cantidad de masa.

Para rellenar los cupcakes con un corazón de frutas frescas, frutos secos o de chocolate, cubrir con masa la base de la cápsula de papel, hasta un poco menos de la mitad del molde, colocar el relleno en el centro y cubrir con masa hasta las ¾ partes del molde.

Los cupcakes siempre se hornean con calor arriba y abajo, preferentemente colocando la bandeja en el centro del horno para que crezcan homogéneos. Luego de horneados dejarlos enfriar durante 5 minutos dentro de la bandeja de aluminio antes de sacarlos.

Para rellenar cupcakes con cremas o mermeladas, se puede utilizar un descorazonador de manzanas. Introducir el descorazonador en el centro del cupcake presionando hasta aproximadamente la mitad del mismo, retirar y cortar el sobrante de masa guardando solo la tapa. Rellenar el cupcake con la crema y cerrarlo con la tapa.

Tips imprescindibles

- Todos los ingredientes tienen que estar a temperatura ambiente.

- La mantequilla debe batirse muy bien con el azúcar con batidora eléctrica hasta que la mezcla esté cremosa, eso asegura que el bizcocho quede esponjoso. No hay que batir más de 5 minutos ya que si no los cupcakes crecerán desiguales.

- Al incorporar los huevos verificar que queden bien integrados, batir hasta que la masa esté cremosa.

- Para que los cupcakes queden suaves y esponjosos, la harina siempre tiene que estar tamizada y, al incorporarla, no se debe batir la mezcla; mezclar en forma envolvente con espátula o con la pala del robot (Ka) a velocidad baja.

- Si los cupcakes se hunden en el centro, se debe a que no estaban totalmente cocidos al sacarlos, o por exceso de líquido en la preparación.

- Si los cupcakes se abren y agrietan mucho en el centro es porque: el horno estaba muy fuerte, la bandeja se colocó muy alta en el horno o por exceso de batido de la masa.

- Como referencia la mayoría de los cupcakes se hornean a 180º C durante 20 minutos y los minicupcakes a igual temperatura durante 10 minutos. Si el horno es de convección (horno con ventilador) hay que bajar la temperatura a 170º C. Si se desea obtener cupcakes que crezcan planos, hornearlos a 150º C durante 30 a 35 minutos.

- Siempre precalentar el horno por lo menos 15 minutos antes a la misma temperatura con que se tienen que hornear.

- Para evitar que las cápsulas de papel de los cupcakes se despeguen, hay que protegerlas de la humedad, una vez abierto el paquete hay que guardarlas en una bolsa de plástico cerrada. No colocar las cápsulas de papel en el molde de aluminio con mucha anticipación, para evitar que se humedezcan. Luego de hornearlas, para evitar que las cápsulas se despeguen, dejar enfriar los cupcakes por no más de 10 minutos en la bandeja de horneado. No cubrir los cupcakes con film plástico ni guardarlos en una caja de cierre hermético hasta que no estén completamente fríos, sino la humedad que desprenden hará que el molde de papel se despegue.

- Los cupcakes se resecan fácilmente y no duran más de 3 días. No obstante para que estén húmedos y frescos por un par de días más es importante pincelarlos con almíbar inmediatamente después de sacarlos del horno cuando aún están calientes (*Véase recetas de almíbar en página 192*).

- Al elaborar los cupcakes hay que tener en cuenta que el bizcocho debe contener grasa, ya que los que no llevan mantequilla se resecan rápidamente y no duran más de un día.

- Los cupcakes se pueden conservar sin decorar, a temperatura ambiente en una bandeja envuelta con film plástico, durante 3 días o dentro de un recipiente de cierre hermético. Nunca congelo mis cupcakes, pero se pueden congelar durante 2 meses dentro de un recipiente hermético. Deben descongelarse en su misma caja durante 24 h en la nevera, antes de sacarlos a temperatura ambiente. La correcta descongelación es un factor importantísimo para preservar la textura original del bizcocho, y esta técnica se aplica a todo producto de pastelería.

Receta de almíbar de punto sirope

El almíbar de punto sirope se utiliza para pincelar los cupcakes, para evitar que se reseque el bizcocho y para darles más sabor. La elaboración de un almíbar neutro es la siguiente:

Ingredientes
100 g de azúcar
100 g de agua

Preparación
Poner en una olla el azúcar, cubrirla con el agua, revolver y llevar al fuego, no revolver en el fuego para evitar que se formen cristales de azúcar. Llevar a ebullición. Cuando empiece a hervir retirar. Usar el almíbar enseguida y guardar el sobrante inmediatamente en la nevera. En un recipiente plástico de cierre hermético el almíbar dura hasta 3 semanas. No se puede conservar a temperatura ambiente por el riesgo de bacterias.

Yo uso almíbares con menos cantidad de azúcar ya que huyo de los sabores con exceso de azúcar y me encanta prepararlos con zumos de frutas, licores o cócteles.

Almíbar de naranja

Ingredientes
100 g de zumo de naranja colado
50 g de azúcar

Almíbar de lima o limón

Ingredientes
50 g de zumo de lima o limón
50 g de agua
50 g de azúcar

Almíbar de licor

Ingredientes
100 g de licor
50 g de azúcar

Cubiertas y frostings de los cupcakes

Recetas de ganache

Una ganache es una crema compuesta de chocolate y nata mezclados en caliente. Existen distintos puntos de ganache: puede ser más o menos consistente, dependiendo de las proporciones de chocolate y nata que se empleen, y puede hacerse con chocolate negro, chocolate con leche o chocolate blanco y aromatizarse o saborizarse con esencias, frutas o licores.

Las siguientes recetas corresponden a los distintos tipos de ganache, todas ellas con un punto de consistencia ideal que permitirán realizar la cubierta de los cupcakes utilizando una manga pastelera con boquilla rizada o lisa.

Los cupcakes decorados con ganache se pueden conservar a temperatura ambiente, no es necesario ponerlos en la nevera.

El procedimiento para realizar una ganache es el mismo para todos los tipos de chocolate, solo varían las cantidades de los ingredientes.

Crema de chocolate con leche

Estas proporciones de ingredientes son las que se deberán usar para hacer una ganache neutra tanto de chocolate con leche como de chocolate blanco.

Ingredientes (para 12 cupcakes aprox.)
300 g de chocolate con leche
90 g de nata espesa
1 cucharadita de postre o 5 g de aroma o esencia natural del sabor deseado

Preparación
Derretir el chocolate en gotas o cortado en trozos pequeños en un bol dentro del microondas a temperatura mínima durante 3 o 4 minutos, o derretirlo a baño María.

Calentar la nata hasta que hierva y agregarla al chocolate derretido. Mezclar el chocolate con la nata hasta que estén bien unidos, con un batidor de alambre o con la batidora eléctrica a velocidad mínima hasta que la mezcla esté lisa y brillante.

A esta crema se le puede dar sabor con esencias naturales o con aceites esenciales naturales, que se agregan al final batiendo hasta integrarlas completamente. *(Véase nota.)*

Dejar enfriar durante 24 h a temperatura ambiente dentro de un recipiente plástico hermético y luego montar con batidora eléctrica hasta que el chocolate esté cremoso. Usarlo para decorar los cupcakes con una manga pastelera con una boquilla rizada o lisa.

NOTA
A las cremas de cualquier tipo se les puede dar sabor con esencias y aceites esenciales comestibles, pero recomiendo usar esencias naturales y los aceites esenciales comestibles naturales, ya que los químicos dan como resultado un sabor artificial.

Las proporciones de aromas o esencias o aceites esenciales comestibles son las siguientes:

Para dar sabor a una crema con aromas o esencias naturales utilizar aproximadamente 10 g por kilo de preparación, o sea que para la receta anterior, la cantidad sería de 5 g o una cucharadita de postre.

Para saborizar una crema con aceites esenciales naturales utilizar aproximadamente 10 gotas por kilo de preparación, o sea que para la receta anterior, la cantidad de aceite esencial a utilizar sería de 5 gotas. Los aceites esenciales de flores como violeta, lavanda o rosa son más suaves y se puede aumentar la proporción a gusto.

Crema de chocolate con frutas

La crema de chocolate puede elaborarse con distintos tipos de frutas y las proporciones según el tipo de chocolate usado son las siguientes:

Chocolate con leche y fresas

Ingredientes (para 12 cupcakes aprox.)
300 g de chocolate con leche
50 g de nata espesa
60 g de puré de fresas naturales concentrado
10 g de fresas en polvo liofilizadas (opcional)

Los 70 g de fresas pueden reemplazarse por la misma cantidad de cualquier fruta, excepto por pulpas muy líquidas como la fruta de la pasión y zumos de cítricos o licores, para cuyos casos la proporción sería de 50 g en lugar de 60 g.

Luego de hacer una ganache básica, se incorpora el puré de frutas batiendo hasta que la mezcla se vea suave y brillante, si se desea intensificar el sabor se le puede agregar fruta liofilizada en polvo y batir hasta que la crema tenga una textura homogénea.

Dejar enfriar la crema durante 24 h a temperatura ambiente y luego montarla con batidora eléctrica hasta que esté cremosa. En ese momento estará lista para ser colocada en una manga pastelera con una boquilla rizada o lisa para decorar los cupcakes.

Como concentrar un puré de frutas
Cuando se utilizan fresas liofilizadas en polvo no es necesario concentrar el puré ya que estas intensifican el sabor de la fruta. En caso de no usar frutas liofilizadas, para que el sabor sea intenso hay que concentrar el puré de fruta.

Para concentrar el puré de fresas utilizar 300 g de fresas, licuarlas, colocarlas en una olla al fuego y hacer hervir durante 10 minutos para que se evapore el agua de las fresas y se concentre su sabor. 1 minuto antes de retirarlas del fuego agregar una cucharada sopera de azúcar y revolver. Dejar enfriar y conservar en la nevera en un recipiente plástico hermético. Este procedimiento sirve para cualquier tipo de fruta.

Frutas liofilizadas
Las frutas liofilizadas son una opción sana y natural para saborizar una crema, ya que la liofilización es un proceso de deshidratación no convencional realizado por congelación y separación del agua preservando la estructura molecular de la fruta, lo que permite que conserven todas sus propiedades de sabor, color, vitaminas y nutrientes y es de rápida rehidratación. Las frutas liofilizadas se pueden comprar en proveedores de pastelería.

Las proporciones de ingredientes para una crema de chocolate blanco y frutas es la siguiente:

Chocolate blanco y frambuesas

Ingredientes (para 12 cupcakes aprox.)
300 g de chocolate blanco
50 g de nata espesa
50 g de pulpa de frambuesas (o cualquier otra fruta, en el caso de usar cítricos o licores usar solo 40 g)
10 a 20 g de frambuesas en polvo liofilizadas (opcional)

Crema de chocolate negro

Ingredientes (para 12 cupcakes aprox.)
300 g de chocolate negro
300 g de nata espesa
1 cucharada sopera de glucosa líquida o de miel *(véase más abajo)*
1 cucharadita de postre o 5 g de esencia natural del sabor deseado

La glucosa
Sirve para darle a la crema un aspecto más suave y brillante ya que la ganache de chocolate negro tiene un aspecto opaco. Hay que derretirla entibiándola a temperatura mínima unos segundos en el microondas o a baño María, teniendo la precaución de no calentarla demasiado ya que si no la glucosa pierde sus propiedades, y agregarla al final batiendo para integrarla a la crema. En las ganaches de chocolate con leche o chocolate blanco la glucosa o la miel no se utiliza.

Chocolate negro de licores o cítricos

Ingredientes (para 12 cupcakes aprox.)
300 g de chocolate negro
150 g de nata espesa
1 cucharada sopera de glucosa líquida o miel (*véase pág. anterior*)
90 g de cualquier licor o zumo de cítricos

Chocolate negro y frutas

Ingredientes (para 12 cupcakes aprox.)
300 g de chocolate negro
150 g de nata espesa
1 cucharada sopera de glucosa líquida o miel (*véase pág. anterior*)
120 g de pulpa de fruta
10 g de fruta en polvo liofilizadas (opcional)

La conservación de cualquier ganache es de 4 días a temperatura ambiente o 2 semanas en la nevera, en ambos casos dentro de un recipiente plástico de cierre hermético.

Receta de crema de mantequilla con merengue suizo

Ingredientes (para 20 cupcakes)
550 g de azúcar
280 g de clara de huevo pasteurizada
550 g de mantequilla a temperatura ambiente
1 cucharada de cremor tártaro o 5 g de goma xantana
(*Para variantes de sabores véase pág. 196*)

Preparación
Batir con batidora eléctrica las claras de huevos y el azúcar, hasta que estén mezclados, poner el bol a baño María revolviendo constantemente con un batidor de alambre, hasta que los cristales del azúcar se disuelvan por completo. Se disuelven a 55º C pero no es necesario un termómetro; tocar la preparación y cuando no se note más el grano de azúcar está lista.

Llevar esta preparación a la nevera o al congelador unos minutos hasta que tome temperatura ambiente. Poner las claras con el azúcar en la batidora de 15 a 20 minutos a máxima velocidad hasta que el merengue esté bien montado. Incorporar el cremor tártaro o la goma xantana.

Cambiar el batidor por la pala (Ka) y comenzar a incorporar la mantequilla de a un cubo por vez y mezclar a velocidad mínima. Finalmente agregar el puré de frutas, chocolate, o esencias para darle sabor a la crema. Hacerlo de a poco para evitar que la crema se corte. Teñir con colorantes alimentarios en pasta o en gel mezclando con la pala a velocidad mínima. Nunca batir la crema con batidora de barillas porque se corta.

Variante de sabores para la crema de mantequilla con merengue suizo

De frutas
(p.e.: fresa, frambuesa, melocotón, mango, etc.)

Cantidad recomendada para la receta anterior:
80 g de puré de fruta concentrado
1 o 2 cucharadas soperas de fruta liofilizada en polvo (opcional)

Concentrar el puré de fruta no es necesario si se agrega fruta liofilizada en polvo que intensificará el sabor en la crema. En caso de no usar frutas liofilizadas, para que el sabor sea intenso, concentrar el puré *(véase pág. 194)*.

De naranja
Cantidad recomendada para la receta anterior:
40 g de zumo de naranja concentrado *(véase pág. 194)*
Ralladura de 2 naranjas (ecológicas o no tratadas químicamente)
1 cucharada sopera de licor de naranja (Cointreau o triple seco)

De dulce de leche o Nutella
Cantidad recomendada para la receta anterior:
150 g de dulce de leche o Nutella

De chocolate blanco o negro
Cantidad recomendada para la receta anterior:
70 g de chocolate derretido enfriado
1 cucharadita de esencia de vainilla

De pistacho o gianduja
Cantidad recomendada para la receta anterior:
100 g de pasta de pistacho o pasta de gianduja

De café
Cantidad recomendada para la receta anterior:
3 cucharadas soperas de café instantáneo mezclado con
3 cucharadas soperas de licor de café

De licores
Cantidad recomendada para la receta anterior:
50 g de licor (whisky, ron, brandy, etc.)

De limoncello
Cantidad recomendada para la receta anterior:
40 g de limoncello
Ralladura de un limón (ecológico o no tratado químicamente)
1 cucharada sopera de zumo de limón

Decoración básica de un cupcake con crema

Llenar con la crema una manga pastelera con una boquilla rizada grande, realizar un trazo desde la parte exterior del cupcake hacia dentro en forma de espiral, como se ve en las fotos y manteniendo siempre una presión constante.
Al terminar dejar de apretar antes de retirar la manga.

Glaseado de fondant líquido

El fondant líquido (no es el que se usa para cubrir pasteles) se hace hirviendo azúcar, glucosa y agua; su elaboración casera lleva tiempo y no brilla tanto como el fondant industrial.
Al fondant industrial hay que modificarlo para lograr la consistencia correcta para obtener un baño brillante y liso.

Ingredientes
(para cubrir 24 cupcakes aprox.)
1 kilo y medio de fondant líquido
2 cucharadas soperas de glucosa líquida
100 g de sirope de almíbar *(véase más abajo)*

Preparación
Colocar el fondant en un bol, cubrirlo por completo de agua caliente y dejarlo reposar durante 20 minutos para que se ablande, luego quitar el agua y agregar el resto de los ingredientes. Llevar al microondas a temperatura baja por solo 3 minutos (si el fondant se calienta demasiado pierde el brillo). Sacar el bol del microondas, mezclar bien todos los ingredientes con una espátula rígida y calentarlo nuevamente por 1 minuto más.

Dividir el fondant en pequeños bols y colorearlo con colorantes comestibles en pasta o en gel, añadiendo el color en pequeñas cantidades y hasta lograr el color deseado. Antes de bañar los cupcakes calentar cada bol en el microondas por no más de 20 segundos a temperatura mínima. Verificar la textura del fondant, si es muy espesa agregar un poco más de almíbar y trabajar con la espátula hasta que se integre bien a la mezcla.

Sirope de almíbar

Ingredientes
200 g de azúcar
200 g de agua
3 cucharadas soperas de zumo de limón, naranja o de cualquier licor si se desea darle sabor.

Preparación
Colocar el azúcar en una olla y cubrir con el agua y el zumo o licor, mezclar bien, ponerlo en el fuego y llevar a ebullición (no revolver mientras se calienta). Cuando comience a hervir retirarlo del fuego, dejar entibiar y utilizar. Si el almíbar no va a ser utilizado inmediatamente, guardarlo en la nevera dentro de un recipiente de plástico hermético: dura hasta 3 semanas.

Como bañar los cupcakes con fondant líquido

Si el cupcake no ha salido del horno con una forma pareja, corregir su superficie con un cuchillo para que quede uniforme.

Calentar un par de cucharadas de mermelada de albaricoque hasta que hierva (no usar otro sabor de mermelada ya que el albaricoque tiene un sabor neutro que no interfiere con el sabor de los cupcakes). Con un pincel cubrir cada uno de los cupcakes con una capa muy fina y dejar secar por lo menos durante 15 minutos, esto evitará que se desmiguen y absorban el fondant. Mientras se prepara el baño de fondant llevar los cupcakes a la nevera por aproximadamente 15 minutos.

Una vez preparado el baño de fondant, sumergir el cupcake, retirar y sacudirlo un poco boca abajo para quitar el exceso de fondant. Dejar pasar 10 minutos antes de dar el segundo baño. Los colores muy claros pueden llegar a necesitar hasta tres baños.

El fondant tiende a formar una costra blanda rápidamente y a espesarse. Cuando esto suceda mientras se está trabajando, solo hay que revolverlo con la espátula y si se espesa agregarle un poco más de almíbar. También se puede calentar unos segundos para que quede más fluido, pero al calentarlo varias veces el fondant pierde un poco su brillo. Yo prefiero trabajarlo con espátula agregando almíbar.

Receta de merengue italiano

El merengue italiano a diferencia de otros merengues es muy estable y dura varios días.

Ingredientes
6 claras de huevo
500 g de azúcar
80 ml de agua

Preparación
En una olla poner el azúcar y el agua, revolver y llevar al fuego. Cuando comience a hervir dejar de revolver para que el azúcar no se cristalice. Introducir dentro del almíbar un termómetro para caramelo. Con un pincel húmedo con agua pincelar las paredes de la olla para evitar que se formen cristales de azúcar. Cuando el termómetro llegue a 100º C comenzar a montar las claras a punto de nieve.

Cuando la temperatura en el termómetro llegue a 118º C retirar del fuego y verter el almíbar lentamente sobre las claras montadas; no echar el almíbar sobre las varillas de la batidora para que no se endurezca, siempre hacerlo sobre las paredes del bol. Montar el merengue con la batidora eléctrica a velocidad máxima, aproximadamente durante 15 minutos, hasta que se entibie. Se puede teñir con colorantes en pasta o en gel.

Si se desea que el merengue quede seco en su superficie y cremoso en el interior, el almíbar tiene que estar a 128º C.

Receta de fondant o pasta de azúcar

La pasta de azúcar, también conocida como fondant o pasta americana es una pasta muy maleable que se utiliza para cubrir pasteles y cupcakes y permite ser coloreada, perlada y texturizada para conseguir decoraciones de gran impacto visual. Se puede comprar en tiendas especializadas de sugarcraft o hacerla uno mismo. El fondant industrial tiene mejor textura y es más fácil de trabajar que el casero.

Ingredientes
10 g (1 sobre) de gelatina neutra en polvo
5 cucharadas soperas de agua
½ cucharada sopera de glicerina (suprimir en climas húmedos y calurosos)
1 cucharada sopera de glucosa
10 g de mantequilla
600 g de azúcar glasé tamizada

Preparación
Colocar el agua en un bol, agregar la gelatina y calentar en microondas o a baño María durante 1 minuto a temperatura mínima, revolver y llevar 1 minuto más al microondas. Verificar que la gelatina quede bien disuelta; en caso contrario, llevar nuevamente al microondas. El secreto del éxito de esta pasta es que no quede ni un grumo visible de gelatina, si no la pasta no tendrá flexibilidad y se agrietará.

Agregar la glicerina y llevar unos segundos al microondas, volver a mezclar e incorporar la glucosa, revolver hasta que esté bien disuelta. Agregar la mantequilla, llevar 1 minuto más al microondas y mezclar.

Colocar el azúcar glasé sobre la mesa formando un hueco en el centro. Agregar el líquido aún tibio, mezclando hasta unirlo con el azúcar formando una masa elástica y amasar bien. Aquí se puede agregar alguna esencia al gusto o teñir con colorantes en pasta o en gel amasando muy bien para que el color quede homogéneo.

Lo ideal es usar la pasta inmediatamente ya que estará muy flexible, en caso contrario habrá que amasar mucho para que vuelva a estar flexible.

El fondant se conserva envuelto en un film plástico y dentro de una bolsa de plástico con cierre hermético.

Como cubrir cupcakes con fondant

Si el cupcake no ha salido del horno con una forma pareja, corregir su superficie recortando el sobrante con un cuchillo.

Amasar muy bien el fondant sobre la mesa sin azúcar glasé. Tiene que estar muy flexible antes de estirarlo, porque si no se agrieta. El fondant se reseca con rapidez por lo que hay que mantenerlo cubierto con una bolsa de plástico.

Sobre una superficie espolvoreada con azúcar glasé, estirar el fondant con un rodillo con aros o con varillas de 3 mm como máximo. El fondant de un cupcake tiene que ser más delgado que el que se usa para un pastel. Pasar el rodillo sobre la pasta una vez y girar y seguir girando sobre la mesa cada vez que se pasa el rodillo para que no se pegue a la misma.

Con un cortador, cortar círculos que tengan un par de centímetros más que el diámetro de los cupcakes, retirar el excedente de pasta y guardarla en una bolsa de plástico. Mientras no se usan, los círculos cortados tienen que quedar cubiertos por una bolsa de plástico para evitar que se resequen.

Calentar mermelada de albaricoque hasta que hierva (el albaricoque deja un sabor neutro que no interfiere con el sabor de los cupcakes) y pincelar con este glaseado la superficie de los cupcakes. Colocar el disco de fondant sobre el cupcake y pegarlo masajeando suavemente.

Para que el cupcake tenga una superficie brillante perlada, pincelar con mantequilla derretida el fondant, quitar el exceso con un papel de cocina y con una brocha grande pincelar toda la superficie con colorante en polvo perlado. Se puede hacer con cualquier color, pero para que quede homogéneo, el color del fondant tiene que ser el mismo que el del polvo perlado.

Los cupcakes de fondant se conservan a temperatura ambiente, no pueden ir a la nevera porque la humedad dañaría su cubierta.

TIP
Para estirar el fondant, no usar maicena para espolvorear la superficie, ya que lo reseca y al ser una harina tiende a fermentar en contacto con la humedad del glaseado o la crema que se use para pegar el fondant al cupcake.

Receta de mazapán para modelar

El mazapán es ideal para hacer pequeñas flores, decoraciones y modelados que siempre estarán tiernos y es perfecto para agregar detalles en las galletas y macarons sin endurecer su textura. También se puede comprar en las tiendas de productos para pastelería.

Ingredientes
260 g de almendras molidas
550 g de azúcar glasé tamizada
2 cucharadas soperas de zumo de limón colado
3 cucharadas soperas de brandy
80 g de claras de huevo pasteurizadas

Preparación
Mezclar en un bol las almendras molidas con el azúcar glasé, el zumo de limón y el brandy. Mezclar y agregar las claras de huevo sin batir. Espolvorear la mesa con azúcar glasé y amasar hasta que quede maleable. Si la pasta queda blanda agregar más azúcar glasé. Se puede teñir con colorantes en pasta o en gel.

Para conservarlo, envolverlo en film plástico y guardarlo dentro de una bolsa de plástico de cierre hermético. Se conserva hasta 2 o 3 semanas aunque luego de la primera semana pierde bastante elasticidad.

Receta de pasta de goma o florist paste

La pasta de goma es ideal para hacer flores, lazos o detalles decorativos. También se puede comprar hecha en tiendas de sugarcraft.

Ingredientes
3 cucharadas soperas de agua
1 cucharada sopera de glucosa
300 g de azúcar glasé
1 cucharada sopera de goma tragacanto o CMC
(carboximetilcelulosa)

Preparación
Tamizar el azúcar glasé con la goma tragacanto o el CMC. En otro recipiente disolver la glucosa en el agua, llevándola unos segundos al microondas a temperatura mínima hasta que se disuelva la glucosa (si la glucosa se calienta demasiado pierde sus propiedades).

En un bol agregar el agua con glucosa e incorporar el azúcar glasé mezclando con una cuchara hasta que tenga una consistencia que se pueda comenzar a amasar. Amasar hasta que tome una consistencia elástica. Si fuera necesario puede agregarse más azúcar glasé en caso de que esté muy blanda, o un poco más de agua si ha quedado muy dura.

Para hacer flores, o cuando se necesite estirar la pasta muy fina, es necesario dejarla reposar envuelta en film dentro de una bolsa de cierre hermético por lo menos 3 días, ya que en ese tiempo la pasta hace una reacción en la que se torna elástica y flexible.

La pasta de goma, después de un par de días se pone dura, eso es porque la glucosa se enfría. Para usarla hay que amasarla muy bien para que vuelva a tener flexibilidad; si la pasta no está bien amasada antes de estirarla se agrieta.

La pasta de goma se conserva a temperatura ambiente, envuelta en film plástico y dentro de una bolsa de plástico de cierre hermético. La pasta de goma casera dura aproximadamente 7 días, luego de los cuales se deshidrata y se pone muy seca. La pasta de goma industrial, bien protegida del aire, dura un par de meses.

NOTA
Las cantidades de azúcar glasé podrían variar ligeramente; algunos azúcares son más absorbentes de humedad que otros y también depende del tipo de clima: en los climas húmedos es probable que se necesite un poco más de azúcar que en los secos. Como regla general la pasta está en su punto óptimo cuando al amasarla no se pegue en las manos.

Teñido

La pasta de goma, de modelar, el fondant y el mazapán, se pueden teñir con colorantes en pasta o en gel. La cantidad de colorante dará la intensidad del color. Para que el color quede parejo hay que amasar bien la pasta.

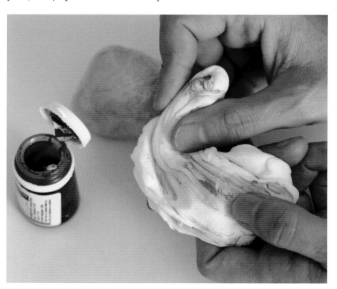

Receta de chocolate plástico blanco

El chocolate plástico se puede utilizar para hacer pequeñas flores y decoraciones, también como reemplazo del fondant para cubrir cupcakes. Su textura blanda hace que sea perfecto para decorar galletas y macarons.

Se puede teñir con colorantes en pasta o en gel si el color a teñir es claro; si el color es muy oscuro es conveniente teñirlo con colorantes liposolubles o convertirlos en liposolubles mezclando 1 parte de colorante más 5 partes de aceite vegetal.

Ingredientes
880 g chocolate
58 g manteca de cacao
200 g de glucosa
140 ml de almíbar de glucosa

Preparación de almíbar de glucosa
130 ml de agua
75 g azúcar
45 g de glucosa

Poner todos los ingredientes juntos y llevar a ebullición. Remover hasta que enfríe.

Preparación del chocolate plástico blanco

Derretir el chocolate en microondas o a baño María a temperatura mínima. Derretir la manteca de cacao en otro recipiente. Mezclar el chocolate y la manteca de cacao. Entibiar la glucosa y el sirope de glucosa, mezclar luego con el chocolate. Poner la mezcla en una bolsa de congelación cerrada y dejar la mezcla durante 12 h a temperatura ambiente. Para usar amasarla hasta que esté maleable.

Se extiende con rodillo con la mesa espolvoreada con azúcar glasé o sobre una superficie engrasada con mantequilla.

El chocolate plástico se conserva a temperatura ambiente, envuelto en film plástico y dentro de una bolsa de plástico de cierre hermético.

Receta de pasta de modelar

La pasta de modelar, también conocida como pasta mexicana, es más blanda que la pasta de goma y se utiliza para hacer pequeñas flores y modelados (que no quedan tan duras como con la pasta de goma).

La forma de prepararla es mezclar 50 % de fondant con 50 % de pasta de goma. También se puede comprar en tiendas de sugarcraft.

Se extiende con rodillo sobre una superficie engrasada con mantequilla.

La pasta de modelar se conserva a temperatura ambiente, envuelta en film plástico y dentro de una bolsa de plástico de cierre hermético.

Cómo usar la pasta de goma, el mazapán, el chocolate plástico y la pasta de modelar

Tanto la pasta de goma, como el mazapán o el chocolate plástico se pueden utilizar para realizar flores y detalles decorativos; la forma de trabajarlos es la misma para todos, solo que la pasta de goma hay que amasarla más.

Para hacer pequeños detalles decorativos, como flores, amasar muy bien la pasta y estirarla con un rodillo sobre una superficie ligeramente engrasada con mantequilla y cortar la forma deseada con un cortador.

Cómo hacer florecillas

Materiales
Rodillo
Cortador de flor pequeño
Bolsa plástica
Huevera de plástico
Pincel fino
Papel de cocina
Manga pastelera
Adaptador de plástico para boquilla
Boquilla N.º 1

En este caso se demuestra el procedimiento para realizarlas con pasta de goma, pero la técnica es la misma empleando cualquier masa de las anteriormente mencionadas.

Sobre una superficie engrasada con mantequilla, estirar pasta de goma de aproximadamente 1 mm de grosor y con un cortador de flor pequeña cortar las piezas necesarias.

Poner a secar las florecillas dentro de la huevera para que tomen forma curvada. Con un pincel fino, utilizando una pequeña cantidad de colorante en polvo impregnando bien el pincel, pero dejando todo el exceso de polvo en el papel de cocina, pintar dándole color solo al centro de las florecillas.

Con una manga pastelera con glasa real blanca y una boquilla N.º 1 hacer 3 pequeñas perlitas en el centro de cada flor.

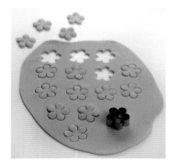

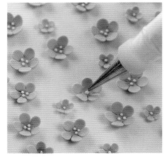

Cómo hacer rosas

Materiales
Rodillo
Cortador de pétalo y de hoja de rosa
Tapete grueso de goma EVA (*flower pad*)
Bolillo
Bolsa de plástico
Texturizador de hojas de rosa
Tijera

Aquí se muestra el procedimiento para realizar las rosas con pasta de goma, pero la técnica es la misma empleando chocolate plástico o mazapán.

Teñir pasta de goma en color rosa oscuro y rosa claro, amasarla bien, hasta que se pegue a los dedos, para que esté flexible y no se agriete.

En una superficie ligeramente engrasada con mantequilla estirar pasta de goma de color rosa oscuro. Con el cortador cortar 5 pétalos por rosa. Retirar el excedente de la pasta, amasar y guardarla envuelta con film plástico dentro de una bolsa. Tapar inmediatamente los pétalos cortados con una bolsa de plástico para que no se sequen.

Sobre el tapete de goma colocar uno de los pétalos y afinar su borde con el bolillo. Solo se debe tocar el borde, nunca el centro ya que hay que mantener la estructura del pétalo más gruesa para que se sostenga.

Enrollar sobre sí mismo el primer pétalo para formar el centro de la rosa. Colocar el siguiente pétalo un par de milímetros más alto que el centro; si el pétalo queda más bajo que el centro de la rosa, este sobresale y la flor no luce natural. Hacer una suave presión con los dedos para que se pegue.

El siguiente pétalo hay que colocarlo superpuesto, desde la mitad del pétalo anterior, como se ve en la foto, y curvarlo con los dedos suavemente hacia fuera. Colocar los dos pétalos restantes de la misma forma, pegándolos siempre desde el centro del pétalo anterior y a medida que se van colocando darle forma curvada. La forma de curvarlos es tomar el borde del pétalo entre el dedo pulgar y el índice y sin presionar girar suavemente hacia abajo, luego curvar el otro extremo.

Estirar pasta de goma rosa claro y cortar 7 u 8 pétalos para cada rosa. Colocar los pétalos restantes de la forma anterior. Al terminar verificar que la rosa tenga un aspecto redondeado equilibrado, y si es necesario colocar otro pétalo más para que el resultado sea armónico. Finalmente cortar el sobrante de pasta de forma recta con una tijera.

Para hacer los capullos de rosa cortar 3 pétalos, enrollar el primero sobre sí mismo para formar el centro, colocar el

segundo pétalo un par de milímetros más alto que el centro y el tercero enfrentado al segundo y cortar con la tijera el sobrante de pasta.

Para hacer las hojas de rosa, teñir pasta de goma de color verde claro. Estirar con el rodillo la pasta y cortarla con el cortador de hojas de rosa, colocar cada hoja sobre el texturizador, cerrarlo y presionar con fuerza para que se marquen las nervaduras. En la base de las hojas hacer un pellizco para darles forma, como se puede ver en la foto.

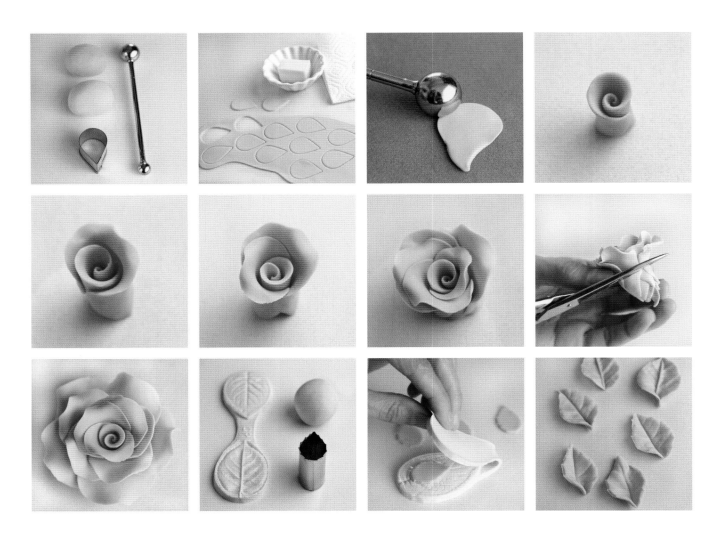

Cookies

La masa de las galletas

La receta de estas galletas la he desarrollado de forma tal que tengan una forma y textura perfecta y que al combinarlas con la cubierta de glasa real el sabor resulte equilibrado y delicioso.

Galletas de vainilla

Ingredientes (para 15 galletas medianas o 7 galletas grandes aprox.)
100 g de azúcar
200 g de mantequilla
1 huevo
360 g de harina
1 cucharadita de postre de aroma de vainilla o de vainilla en polvo

Preparación

Batir con batidora eléctrica el azúcar con la mantequilla hasta formar una crema, no batir la masa en exceso ya que si no se expandiría durante el horneado. Agregar el huevo y batir. Perfumar con el aroma de vainilla o la vainilla en polvo. Tamizar la harina e incorporarla de a poco. Si se utiliza un robot de cocina utilizar la pala mezcladora (Ka). Manualmente agregar la harina mezclando con una espátula y luego amasar.

Formar una bola con la masa, cortarla en discos de aproximadamente 2 cm de espesor. Envolverla en film plástico y dejarla descansar en la nevera por lo menos durante 2 h, para que no se formen burbujas en la superficie de las galletas al hornearlas.

Retirar la masa de la nevera y amasarla para ablandarla, no dejar la masa a temperatura ambiente porque sino al trasladar las galletas cortadas a la bandeja estarían demasiado blandas y se deformarían. Si se quiere trabajar con la masa a temperatura ambiente habría que agregar más harina, pero las galletas perderían sabor, resultarían demasiado duras y en su superficie podrían aparecer grietas.

Para estirar la masa colocarla sobre una hoja de papel de horno o sobre la mesa apenas enharinada, colocar otra hoja de papel de horno por arriba (esto evita que la superficie de masa quede con imperfecciones). Estirar con un rodillo con aros niveladores o con guías de 6 mm de espesor, para que la galleta tenga siempre el mismo grosor. La masa se puede estirar de un grosor inferior a 6 mm pero se corre el riesgo de que se rompa en el transporte.

Usar cortadores de galletas para cortar la masa en la forma deseada, retirar la masa sobrante, volver a amasar y seguir utilizando. Trasladar las galletas cortadas a una bandeja cubierta con papel de horno.

Precalentar el horno durante 15 minutos y hornear las galletas a 180 grados durante 10 minutos las galletas pequeñas, 12 minutos las medianas y 13 a 15 minutos las grandes. Siempre hay que hornear juntas las galletas de un mismo tamaño para que se cuezan de forma homogénea.

Galletas de chocolate

Para hacer las galletas de chocolate hay que usar la misma receta de las galletas de vainilla; solo reemplazar 50 g de harina por 50 g de cacao en polvo.

Galletas de limón

Reemplazar el aroma de vainilla por la ralladura de un limón (ecológico o no tratada químicamente) y una cucharada sopera de zumo de limón o de limoncello.

Galletas de naranja

Reemplazar el aroma de vainilla por la ralladura de una naranja (ecológica o no tratada químicamente) y una cucharada sopera de zumo de naranja o de licor de naranja (triple seco o Cointreau).

NOTA

Los cítricos deberán ser ecológicos o no estar tratados químicamente ya que los pesticidas con los que son rociados no se quitan lavando la piel de los mismos. La ralladura de los cítricos se puede reemplazar por aceites esenciales naturales, ya que lo que se obtiene de la ralladura de los cítricos son justamente los aceites esenciales contenidos en la piel. Si se utilizan aceites esenciales naturales la dosificación es de 10 gotas por kilo de masa.

Galletas de violeta, rosa y otros sabores

Se pueden realizar muchas variaciones de sabores: violeta, rosa, lavanda, coco, anís, frambuesa, etc. Para ello se pueden utilizar aromas naturales o aceites esenciales naturales comestibles.

Mi recomendación para la dosificación de los aromas o esencias naturales es de una cucharadita de postre por fórmula de masa. Si se utilizan aceites esenciales agregar 10 gotas por fórmula de masa para todos los aceites excepto para los de flores que son más suaves y se pueden agregar hasta 20 o más gotas.

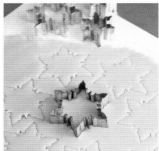

Preparación y horneado de la masa de galletas de colores

La masa de las galletas se puede teñir con colorantes alimentarios en pasta o en gel. Cuando se está preparando la masa, agregar unas gotas del colorante deseado, los colores con la masa cruda se ven oscuros y deslucidos pero cuando las galletas se hornean se aclaran y quedan bonitos.

Estas galletas llevan unos minutos menos de cocción que las normales, ya que si se doran los bordes pierden la gracia del color, por lo que hay que estar atentos y no dejar que se doren. El tiempo de horneado depende del tamaño de la galleta.

Las galletas pequeñas como las florecillas de lavanda, violeta y rosa de la página 151 no llevan más de 5 minutos de horneado y las más grandes no más de 7. Las galletas de colores es conveniente estirarlas más delgadas para facilitar su cocción sin que se doren. Las galletas de la página 151 tienen 3 mm de grosor.

Congelación de las galletas y la masa

Es posible congelar las galletas luego de hornearlas. No es recomendable congelarlas ya decoradas porque la humedad dañaría el glaseado. Tampoco congelarlas cortadas sin hornear, ya que al hornearlas después del congelado tienden a romperse muy fácilmente.

Para congelar las galletas horneadas ponerlas en un recipiente de plástico de cierre hermético y disponerlas apiladas entre capas de papel para horno. Pueden permanecer congeladas hasta 3 meses. Como todo producto de pastelería debe descongelarse durante 24 h en la nevera y en el mismo recipiente cerrado en que se congelaron, antes de sacarlas a temperatura ambiente.

Congelación de la masa de galletas sin hornear

La masa cruda de las galletas puede congelarse hasta 2 meses; para hacerlo hay que envolverla con film plástico, y ponerla dentro de una bolsa de congelación con una etiqueta con la fecha de caducidad. La masa se descongela 24 h en la nevera; al sacarla se debe amasar bien antes de usar.

Glasa real

La glasa real se utiliza para cubrir las galletas y para hacer detalles decorativos tanto en cookies como en cupcakes y macarons.

La receta de glasa real se puede hacer con claras en polvo (albúmina en polvo) o claras líquidas pasteurizadas. No es conveniente usar claras de huevo sin pasteurizar por el riesgo de las bacterias.

Glasa real punto de escribir
(Usando claras de huevo líquidas pasteurizadas)

Ingredientes
230 gramos de azúcar glasé (aproximadamente)
40 g de claras líquidas pasteurizadas
6 gotas de vinagre de manzana o cualquier vinagre blanco

Preparación
El procedimiento es el mismo que para hacer la glasa con clara de huevo en polvo, solo que no hay que reconstituir la albúmina.

La glasa real hecha con albúmina deshidratada o con clara líquida pasteurizada puede permanecer hasta un día a temperatura ambiente o 2 semanas en la nevera. Es normal que al cabo de un par de días la glasa forme una capa líquida en la base del recipiente. Esto no presenta ningún tipo de riesgo si la glasa se conserva en la nevera, pero si se deja a temperatura ambiente el líquido formado es propenso a captar bacterias. Al sacarla de la nevera hay que dejar que tome temperatura ambiente y batirla para que recupere su textura original.

Glasa real punto de escribir
(Usando albúmina deshidratada)

Ingredientes
230 g de azúcar glasé (aproximadamente)
1 cucharadita colmada de clara de huevo en polvo (albúmina deshidratada)

3 cucharadas soperas de agua
6 gotas de vinagre de manzana o cualquier vinagre blanco

Preparación
Para hidratar las claras en polvo, agregar en un recipiente de plástico con cierre hermético 3 cucharadas soperas de agua, y una cucharadita de postre de albúmina en polvo, que es el equivalente a una clara. Revolver, y se obtendrá una consistencia agrumada. Hay que tapar el recipiente y dejar reposar 5 h a temperatura ambiente para que se hidrate correctamente. Es normal que al destapar el recipiente se sienta un olor fuerte a huevo, es que la albúmina está concentrada.

Incorporar el azúcar glasé de a poco (no es necesario tamizar el azúcar glasé a menos que se use una boquilla de un número inferior al 2) y batir utilizando la pala (Ka) a velocidad baja, durante no más de 5 minutos para no incorporar mucho aire, lo cual fragiliza y opaca la glasa. Se puede hacer la glasa usando una batidora eléctrica manual a velocidad baja.

Antes de terminar de batir agregar el vinagre, es preferible usar vinagre en lugar de zumo de limón. El ácido acético del vinagre tiene muchas ventajas respecto del ácido cítrico. El vinagre es un conservante natural, blanquea la glasa, hace que se endurezca y seque más rápidamente y no la opaca como el zumo de limón.

Hay que tener en cuenta que la cantidad de azúcar a utilizar depende de las condiciones climáticas (lugares húmedos o secos), como así también de la consistencia del azúcar (hay azucares más absorbentes de humedad que otros). Hay que practicar y variar ligeramente las proporciones indicadas en la receta hasta llegar a la consistencia adecuada, generalmente utilizando entre 220 a 240 g de azúcar glasé para la glasa de escribir.

La glasa se conserva en un recipiente de plástico de cierre hermético, cubierta con un film plástico al ras, bien pegado a la glasa, para que no se seque.

Consistencia de la glasa real

Si la glasa quedó muy espesa, agregar un poco de agua y batir.

Si la glasa está demasiado fluida, agregar más azúcar glasé. Probar la consistencia y repetir la operación hasta obtener el resultado que desea.

Glasa real de punto duro

En la decoración de las galletas muchas veces se necesita una glasa un poco más dura para realizar detalles que sobresalgan, como por ejemplo, hojas, perlas, etc. Para estos casos partiendo de una fórmula de glasa para escribir, agregar 1 o 2 cucharadas soperas de azúcar glasé y batir.

Teñido de la glasa real

La glasa se colorea con colorantes alimentarios en pasta o en gel. Cuando se quiere teñir la glasa de un color claro, hacerlo agregando colorante de a poco; siempre es más fácil oscurecer que aclarar, ya que si el color queda más oscuro que lo deseado, para aclararlo hay que agregar más glasa blanca.

Glasa real de color rojo

Los colores más difíciles de teñir son el rojo y el negro. Para hacer glasa de color rojo, no hay que agregar mucha cantidad de colorante, ya que el exceso produciría varios efectos indeseados: uno de ellos es que al comer la galleta la boca queda roja, también se altera el sabor, y cuando la glasa se seca, el rojo intenso logrado en la glasa fresca se transforma en color burdeos.

Para lograr un rojo bonito y sin estos efectos indeseables, el secreto es preparar la glasa roja 24 h antes de ser usada, ya que hace una reacción química y sube un par de tonos; otro truco es agregar una pizca de colorante amarillo que ayuda a intensificar el rojo. Cuando la glasa se seca también sube un par de tonos, con lo cual habría que agregar colorante como para lograr un rojo claro.

Los fabricantes de colorantes también se han percatado de la dificultad para lograr el rojo y el negro, por lo que han creado para estos colores una línea llamada "Red Extra" o "Super Red" y "Black Extra" o "Super Black" con pigmentos más concentrados, que son muy recomendables.

Glasa fluida

Esta glasa se utiliza para rellenar las galletas. A la fórmula de glasa real de escribir se le agrega agua de a poco con una cucharilla para que no se formen demasiadas burbujas. Para saber el punto exacto que tiene que tener la glasa fluida hay que pasar un tenedor por su superficie: si las marcas del tenedor desaparecen a los 10 segundos la glasa esta en su punto perfecto, si no desaparecen agregar más agua, y si desaparecen antes de 10 segundos, agregar más glasa de escribir ya que la glasa demasiado fluida pierde brillo y grosor porque es absorbida por la galleta.

La glasa se coloca dentro de un biberón de plástico para rellenar las galletas. Esta glasa no se puede guardar; hay que hacerla y usarla inmediatamente porque al cabo de un par de horas el agua se separa y si se usa así produce manchas blancas en la superficie glaseada.

Tips imprescindibles

• Para que el glaseado de las galletas tenga una superficie lisa y brillante: no batir demasiado la glasa real, el exceso de aire opaca su superficie y la fragiliza. No usar zumo de limón, reemplazarlo por vinagre blanco. No agregar demasiada agua para hacer la glasa fluida, respetar las indicaciones de la receta. No agregar cremor tártaro, es un ácido y opaca la glasa. Y lo más importante: la glasa tiene que tener por lo menos 4 días de elaborada, la glasa real recién hecha no brilla.

• El cremor tártaro o ácido tartárico se usa en la glasa real para que esta tome más volumen, por ejemplo si se quieren hacer unas perlas bien redondas o figuras con volumen hay que colocar por fórmula de glasa real ¼ de cucharadita de té de cremor tártaro; este hace que las moléculas de la clara de huevo de distintos tamaños se conviertan a igual tamaño, cohesionando la glasa y dándole volumen. Mi consejo es solo usarla para glasa que se utilice en detalles decorativos y no en la de cubrir las galletas para que no queden opacas.

Pico blando (glasa para escribir): al levantar la glasa con la espátula el pico debe caer.

Pico duro (glasa para usar con boquillas rizadas, de hojas y de flores): al levantar la glasa con la espátula el pico debe quedar estable.

Punto de glasa fluida (glasa para rellenar las galletas): al pasar un tenedor sobre su superficie, las huellas del mismo deben desaparecer a los 10 segundos.

Conservación de las galletas

Las galletas decoradas duran 2 meses envasadas en una bolsa de celofán cerrada.

Cómo decorar las galletas

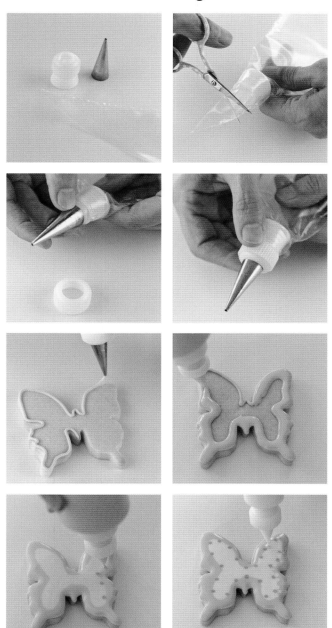

Para hacer el contorno de la galleta usar siempre una boquilla lisa N.º 3. Comenzar colocando la manga en un ángulo de 45°, presionar suavemente, y en cuanto empiece a salir la glasa, tirar la línea en el aire para que salga recta, mantener presión constante para que no se corte, siempre es más fácil hacer las líneas de arriba abajo. Hacer el contorno de la galleta. Cortar la línea si hace falta, girar la galleta y retomar. Al terminar soltar la presión y apoyar la boquilla sobre la galleta. Dejar secar por lo menos 20 minutos antes de rellenar con la glasa fluida.

Preparar glasa fluida e introducirla en un biberón de plástico, y rellenar la galleta cubriendo incluso un poco el contorno de glasa para que quede oculto, así la cookie lucirá mejor terminada.

Para hacer estampados en glasa como en el caso de la mariposa de página 115, se necesitarán biberones de punta fina.

Trazar el contorno de la mariposa con glasa fluida azul, luego llenar con glasa azul claro el centro. En la unión de los dos colores hacer puntos rosa oscuro separados entre sí por aproximadamente 1,5 cm, luego con glasa rosa claro hacer 4 o 5 puntitos alrededor de cada centro rosa oscuro; para terminar intercalar puntitos blancos entre cada florecilla.

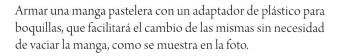

Armar una manga pastelera con un adaptador de plástico para boquillas, que facilitará el cambio de las mismas sin necesidad de vaciar la manga, como se muestra en la foto.

Técnicas de uso de manga pastelera con glasa real

Las técnicas de uso de la manga pastelera con glasa real sirven para hacer innumerables detalles decorativos, tanto para cupcakes, cookies o macarons. El trabajo con glasa real requiere de un poco de práctica, por lo que sugiero comenzar practicando antes sobre papel.

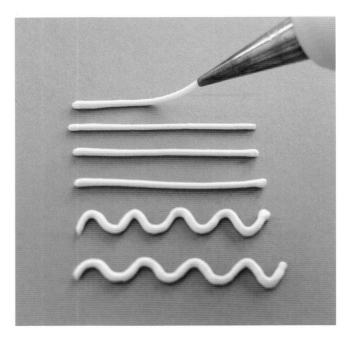

Líneas

Las boquillas para hacer gotas y perlas son las redondas lisas. Para hacer el contorno de las galletas se usa una boquilla N.º 3, para escribir o hacer finas decoraciones una N.º 1 o 2.

Comenzar colocando la manga en ángulo de 45°, tocar la superficie con la boquilla y presionar suavemente. Cuando comience a salir la glasa elevar la manga pastelera y tirar la línea en el aire para que salga recta. Mantener presión constante para que la línea no se corte. Al terminar soltar la presión, bajar la manga y apoyar la boquilla sobre la galleta. Las líneas onduladas se hacen de la misma forma, haciendo movimientos ondulados o circulares.

Hojas

Para hacer hojas usar boquillas de hoja, las hay de distintos tamaños. Colocar la manga pastelera a 45° tocando la superficie, presionar hasta formar la base de la hoja y estirar soltando presión, si se estira demasiado rápido la hoja quedará muy delgada. Las hojas rizadas se hacen igual pero avanzando y retrocediendo con la manga.

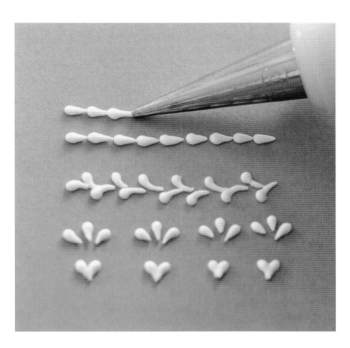
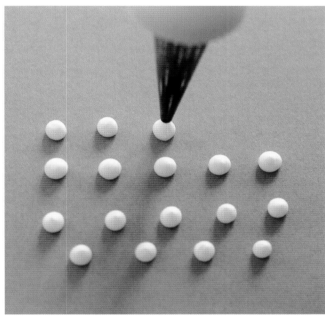

Gotas y perlas

Las boquillas para hacer gotas y perlas son las redondas lisas. Para hacerlas pequeñas usar una boquilla N.º 2 o 3.

Para hacer gotas colocar la manga pastelera a 45º tocando la superficie, no levantarla en ningún momento, presionar hasta formar una perla y estirar soltando levemente la presión para que se forme la gota, la siguiente comenzarla 1 mm más adelante de donde terminó la anterior, ya que la glasa tiende a retroceder y si se pegan demasiado se pierde el efecto de gotas. Se pueden hacer curvadas, haciendo un pequeño giro con la mano al hacerlas. Para hacer corazones hacer una gota, colocar la boquilla tocando la cabeza de la gota y hacer otra en diagonal.

Para hacer perlas, colocar la manga pastelera a 90º respecto de la superficie a 1 mm de la misma. Presionar la manga sin moverla hasta que se forme la perla, dejar de presionar y retirar la manga. Quedará un pequeño pico que se puede bajar tocándolo suavemente con un pincel con agua. El pincel con agua es una buena solución cuando son pocas perlas, si son muchas para no perder tiempo hacer glasa fluida *(véase pág. 210)* pero con un punto más consistente que la de rellenar las galletas; hay que contar 20 segundos hasta que la huella del tenedor desaparezca, esta glasa no formará pico y sirve para usar con boquillas pequeñas, hasta una N.º 3; con boquillas más grandes la perla se deforma.

Macarons

Para la elaboración de los macarons con resultados exitosos hay que respetar tanto las proporciones de los ingredientes como las indicaciones de su preparación.

La masa de los macarons

Ingredientes (para aprox. 50 macarons)
300 g de harina de almendra
300 g de azúcar glasé
224 g de clara de huevo
300 g de azúcar
80 g de agua

Preparación
Envejecer las claras de huevo guardándolas en la nevera durante 2 días dentro de un recipiente sin tapar, para que se deshidraten un poco. Pero envejecer siempre más cantidad de clara, porque cuando se deshidrata pierde peso. Al sacarla para la receta, pesar 224 g de esta clara.

Tamizar la harina de almendra y el azúcar glasé dos veces por separado y pesarlos; no pesarlos y luego tamizarlos porque se pierde cantidad de harina de almendra en el tamizado. Mezclarlos bien e incorporar 112 g de claras de huevo, batir hasta formar una pasta.

Hacer un merengue italiano: agregar en una olla 300 g de azúcar y 80 g de agua, revolver y poner al fuego, colocar dentro de la olla el termómetro para caramelo. Pincelar los bordes interiores de la olla con un pincel humedecido en agua para que no se formen cristales de azúcar.

Cuando el termómetro marque 110º C comenzar a montar los 112 g restantes de clara de huevo a punto de nieve, que no queden demasiado duras.

Cuando el termómetro indique 117º C, retirar el almíbar del fuego y verterlo lentamente dentro de las claras montadas a punto de nieve; no echar el almíbar sobre las varillas de la batidora para que no se endurezca, hacerlo sobre las paredes del bol. Montar el merengue con la batidora eléctrica a velocidad media hasta que se forme un merengue no demasiado duro.

Agregar la mitad del merengue a la pasta de almendras. Verificar que el merengue esté tibio, si está caliente arruinará la preparación ya que sacará fuera el aceite de las almendras. Mezclar con una espátula hasta que esté integrado y luego incorporar el resto del merengue, mezclando bien. Añadir el colorante en pasta o gel.

Mezclar con una espátula enérgicamente hasta que la pasta tenga una textura suave. Esta operación en francés se denomina "macaronner" y es quizás la parte más importante para la elaboración exitosa de los macarons y requiere de práctica. Si se mezcla muy poco, la superficie de los macarons quedará rugosa y con picos, y si se mezcla demasiado quedarán planos y se deformarán. Al mezclar hay que ir tocando la pasta y levantarla formando un pico, si ese pico queda duro falta mezclar más, si el pico desaparece rápidamente es que la pasta está muy blanda porque se ha mezclado demasiado, el pico tiene que desaparecer lentamente para obtener la consistencia correcta.

Incorporar la pasta a una manga pastelera con una boquilla N.º 11, cubrir con papel sulfurizado la bandeja. Se pueden dibujar círculos de unos 4 cm de diámetro del lado del revés del papel como guía o usar un tapete de silicona para macarons. Con la misma masa de macarons hacer 4 puntos en cada esquina de la bandeja para pegar el papel y que no se mueva. Colocar la manga perpendicularmente y presionar hasta formar los macarons; dejar de presionar y retirar la manga.

Una vez escudillados todos los macarons, golpear la bandeja por debajo con la mano para que desaparezcan las irregularidades.

Dejar reposar los macarons durante media hora antes de llevarlos al horno para que formen una piel, esto hará que salgan lisos y con buen pie; no dejarlos reposar más de una hora.

Hornear los macarons a 140º C con el ventilador de horno prendido durante aproximadamente 15 minutos.

Dejar enfriar completamente. Si se desea se pueden perlar, pincelándolos con una brocha con colorantes alimentarios en polvo perlado, y rellenarlos con la crema deseada.

Lo ideal es dejarlos en la nevera durante un día y sacarlos media hora antes de consumirlos. Se pueden conservar hasta 4 días en la nevera dentro de un recipiente hermético o congelar durante 3 meses.

Rellenos para los macarons

Estos son mis rellenos favoritos para macarons. Con estas técnicas, cambiando los ingredientes, se pueden preparar infinidad de deliciosos sabores.

Confitura de fresas

Ingredientes
250 g de fresas
120 g de azúcar
Zumo de ½ limón
¼ de cucharadita de pectina en polvo o 3 corazones de manzana (*)

Preparación
En una olla poner las fresas con el zumo de limón y el azúcar, agregar los corazones de manzana o la pectina. Poner a hervir durante 10 minutos. Dejar enfriar en la nevera y utilizar.

(*) La pectina hace que las confituras gelifiquen. Las fresas son frutas con bajo contenido en pectina, por lo que hay que agregarle pectina en polvo o colocar en la olla 3 corazones de manzana, que es una fruta con alto contenido en pectina, que luego se retirarán al terminar la cocción.

Confitura de frambuesas

Usar las mismas proporciones y procedimiento que para la confitura de fresas.

Crema de pistacho

Ingredientes
300 g de chocolate blanco
280 g de nata espesa
70 g de pasta de pistacho

Preparación
Derretir el chocolate en microondas a temperatura mínima o a baño María. Hervir la nata, revolver para que se enfríe un poco, agregarla al chocolate y batir hasta que esté cremoso, incorporar la pasta de pistacho y batir hasta que la crema esté lisa y brillante. Llevar a la nevera por 2 h.

Crema de vainilla

Ingredientes
300 g de chocolate blanco
300 g de nata espesa
3 vainas de vainilla o 5 g de esencia natural de vainilla

Preparación
Hervir la nata con las vainas de vainilla cortadas por la mitad, dejar infusionar durante 30 minutos y colar. Derretir el chocolate en microondas a temperatura mínima o a baño María. Agregar la nata al chocolate y batir hasta que esté cremoso. Si se usa esencia de vainilla en lugar de las vainas, añadir en este momento y batir. Llevar a la nevera por 3 h.

Crema de fresa y champaña

Ingredientes
300 g de chocolate blanco
200 g de fresas
50 g de Marc de Champagne o cognac

Preparación
Derretir el chocolate en microondas a temperatura mínima o a baño María. Con la batidora hacer un puré de fresas y calentarlo un poco. Batir juntos el chocolate con el puré de fresas y el Marc de Champagne. Llevar a la nevera por 3 h.

TIP

Rellenar los macarons con manga pastelera para dosificar siempre la misma cantidad, de manera que queden todos iguales.

Crema de piña

Ingredientes
300 g de piña
3 huevos
3 hojas de gelatina
140 g de azúcar
15 g de maicena
200 g de mantequilla a temperatura ambiente

Preparación
Poner a remojar la gelatina en agua fría. Procesar la piña en la licuadora y colarla. En una olla mezclar los huevos, el azúcar y la maicena, mezclar bien para que no queden grumos, poner a fuego medio y revolver. Incorporar la piña y seguir revolviendo con un batidor de alambre. Cuando comience a hervir seguir batiendo durante 1 minuto, la crema va espesar. Sacar del fuego, escurrir la gelatina y agregarla; mezclar e incorporar la mantequilla; batir con batidora eléctrica hasta que la crema esté lisa y brillante. Llevar por 3 h a la nevera en un recipiente cerrado.

Crema de lima o limón

Ingredientes
4 huevos
25 g de azúcar
125 g de zumo de lima o limón colado
2 hojas de gelatina
250 g de mantequilla a temperatura ambiente

Preparación
Poner a remojar la gelatina en agua fría. En una olla incorporar los huevos y el azúcar, revolver y agregar el zumo de limón, revolver hasta que comience a hervir y se espese. Retirar del fuego. Escurrir bien las hojas de gelatina y agregarlas a la preparación, batir y agregar la mantequilla, seguir batiendo con la batidora hasta que la crema esté lisa y brillante. Dejarla en la nevera tapada por lo menos 3 horas.

Crema de tres cítricos

Véase la preparación e ingredientes de la crema de lima o limón. La proporción de zumos es la siguiente: 45 g de zumo de limón, 45 g de zumo de mandarina y 45 g de zumo de naranja. Mezclarlos y agregarlos como indica la receta.

Naranja y flor de azahar

Ingredientes
250 g de mascarpone
180 g de azúcar
1 cucharadita de té de agua de azahar
Ralladura de una naranja (ecológica o no tratada químicamente)
10 g de zumo de naranja

Preparación
Quitar todo el suero que pudiera tener el mascarpone, agregarle el azúcar glasé tamizado y batir con batidora eléctrica a velocidad máxima hasta que la preparación esté cremosa. Incorporar la ralladura y zumo de naranja, el agua de azahar y batir. Si se desea se pueden poner unas gotas de colorante.

Crema de café

Ingredientes
300 g de chocolate con leche
200 g de nata espesa
50 g de café molido

Preparación
Derretir el chocolate en microondas a temperatura mínima o a baño María. Hervir la nata y agregar el café molido. Revolver, dejar infusionar durante 10 minutos, colar la nata para quitar el café y mezclarla con el chocolate, batiendo hasta que la crema esté lisa y brillante. Llevar por 1 h a la nevera en un recipiente cerrado..

Materiales utilizados

En las tiendas especializadas encontrarás cortadores, moldes, colorantes, utensilios e ingredientes para realizar todos los proyectos de este libro.

Los colorantes usados aquí pueden ser en pasta, gel y en polvo, te recomiendo mezclar los colores entre sí para encontrar los tonos que más se adecuen a tu proyecto.

Existe gran variedad de cortadores, en forma de flores, mariposas, círculos, etc. En esta sección te indico solo los cortadores de diseño muy particular. Te aconsejo utilizar cortadores versátiles que te permitan hacer varias decoraciones, por ejemplo:

Algunos materiales específicos usados en los proyectos

Haute Couture Cupcakes (pág. 8)
Colorante en pasta rosa empolvado: Dusky pink de Sugarflair. Cortador de flores nomeolvides: Cortantes Cairo

Fashion Cupcakes (pág. 12)
Barniz comestible - Edible confectionery varnish de Culpitt. Colorante en polvo oro: Royal gold de Sugarflair

Violeta y Cassis (pág. 18)
Colorante en pasta violeta: Pink y Baby blue de Sugarflair (mezclados por partes iguales). Colorante en polvo violeta: Smokey haze de Squires Kitchen

Cebra cupcakes (pág. 22)
Molde de joyas de silicona: Squires Kitchen

Dulce frambuesa (pág. 30)
Colorante rosa: Rose de Squires Kitchen

Golden snowflakes (pág. 36)
Purpurina color oro: Hologram Gold de Rainbow Dust

Baby chocolate (pág. 42)
Colorante azul claro: Baby blue de Sugarflair. Rodillo texturizador: Remy

Blue Lagoon Cocktail (pág. 46)
Colorante en pasta turquesa: Teal de Americolor

Flores de boda Patricia (pág. 54)
Colorante en polvo blanco perlado: Bridal Satins Dust White Satin de Squires Kitchen

Ranúnculos y jazmines (pág. 66)
Colorante en pasta verde: Gooseberry de Sugarflair. Colorante en polvo verde: Citrus green de Rainbow dust

Country garden (pág. 80)
Cortador de petunia: Tinkertech. Cortador de verbena: Cortantes Cairo. Rodillo texturizador: Remy

Marie Antoinette (pág. 102)
Cortador María Antonieta: Cakes Haute Couture

Black & White (pág. 110)
Cortador pastel de boda: Cakes Haute Couture

Mariposas (pág. 114)
Colorante en pasta rosa: Pink de Sugarflair. Colorante en pasta azul: Baby blue de Sugarflair

Springerle (pág. 118)
Moldes: House on the hill

Caniches (pág. 124)
Cortador casita: Cakes Haute Couture

High Tea (pág. 130)
Cortador pastel de boda: Cakes Haute Couture

Patchwork (pág. 146)
Cortador de oso: Cortantes Cairo

Violeta, lavanda y rosas (pág. 150)
Cortador de petunia: Tinkertech. Cortador de verbena: Cortantes Cairo

Cookies de Navidad (pág. 156)
Cortador casita: Cakes Haute Couture

Spring Macarons (pág. 160)
Colorante en pasta verde: Gooseberry de Sugarflair. Colorante en pasta rosa: Rose de Squires Kitchen. Colorante en pasta amarillo: Egg yellow de Sugarflair. Purpurina color plata: Hologram silver de Rainbow Dust. Placa texturizadora de mariposas: Cortantes Cairo

Macarons de fresa con sorpresa (pág. 162)
Colorante en pasta rojo (Pág.168): Red extra de Sugarflair. Colorante en pasta rosa: Rose de Squires Kitchen. Colorante en pasta amarillo: Egg yellow de Sugarflair. Cortador de flor: Rose Calyx Cutter - 45 mm de PME

Venezia (pág. 176)

Hojas de oro comestible: Gold leaf de Squires Kitchen
Purpurina color oro: Hologram gold de Rainbow Dust
Colorante en polvo oro: Royal gold de Sugarflair
Cortador y texturizador de margaritas:
Daisy mould and cutter de Blossom Sugar Art

Bellini (pág. 180)

Cortador y texturizador de margaritas:
Daisy mould and cutter de Blossom Sugar Art
Placa texturizadora de mariposa: Cortantes Cairo

Macaron cake (pág. 184)

Cortador y texturizador de hortensia:
Hydrangea mould and cutter de Blossom Sugar Art

Plantillas

Fashion cupcakes (pág. 12)

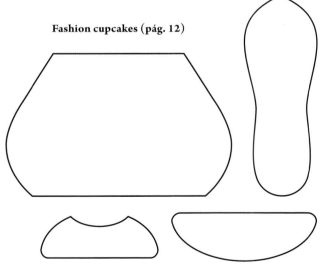

Ballet (pág. 72)

Art macarons (pág. 170)

Proveedores

- **Squires Kitchen,** www.squires-shop.com (Reino Unido), www.squires-shop.es (España)
- **Enjuliana,** Torremolinos, España, www.enjuliana.com
- **My Lovely Food Shop,** Girona, España, http://shop.mylovelyfood.com
- **Divinas's Cookies & Cakes,** Barcelona/Vigo, España, www.divinascakes.com
- **Cupcakes a diario,** Castelldefels, Barcelona, España, www.cupcakesadiario.com
- **Hadas y grumetes,** Terrassa, España, www.hadasygrumetes.com
- **Sosa,** Barcelona, España, www.sosa.cat
- **Sole Graells,** Barcelona, España, www.solegraells.com
- **Megasilvita,** Rota. Cádiz, España, www.megasilvita.com
- **La Tienda Americana,** Madrid, España, www.latiendaamericana.es
- **Comercial Minguez,** Madrid, España, www.comercial-minguez.es
- **Almondart,** Reino Unido, www.almondart.com
- **Global Sugar Art,** EEUU, www.globalsugart.com
- **House on the hill,** EEUU, www.houseonthehill.net
- **Cortantes Cairo,** Argentina, www.cortantescairo.com
- **Remy,** Argentina, www.moldesremy.com.ar

Shopping: Zara Home (pág. 12); Green Gate (págs. 50, 77, 106); Laura Ashley (págs. 67, 77, 158, 164, 166); Wedgwood (págs. 67, 185); Rosanna Inc. (págs. 106, 185); Tilda (págs. 131, 139, 143); Jaime Mancilla on Etsy (pág. 135); Cath Kidston (pág. 157); Pip Studio (págs. 162); Sanderson (pág. 166); Bevilacqua (págs. 177, 178); KitchenAid (pág. 195 y otras); Prima Marketing Inc. (pág. 72).

Árboles de jardín (pág. 134)

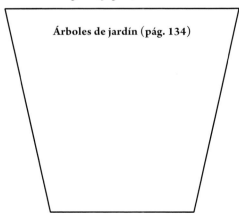

Acerca de la autora

Patricia Arribálzaga se ha formado en Bellas Artes y cuenta con una experiencia de más de quince años en el mundo de la pastelería y el sugarcraft. Ha sabido unir con gran maestría sus dos pasiones, el arte y la repostería, logrando así exclusivas obras de arte comestibles de sabores gourmet que vienen marcando tendencia a nivel internacional.

Desde el año 2002 es propietaria de la empresa Cakes Haute Couture – Pasteles de Alta Costura, cuyo nombre nació de su idea de vincular la pastelería con las obras de los diseñadores de moda de Alta Costura. Sus creaciones de repostería son confeccionadas como si fueran trajes de alta costura, a partir de un diseño siempre original, personalizado y exclusivo logrado a través de un detallista trabajo artesanal, elaborando así glamurosas y deliciosas obras de arte.

Su vasta experiencia en pastelería internacional, especialmente francesa, la llevó a desterrar la arraigada idea de que la pastelería de diseño solo admite unos pocos sabores, y para ello de forma pionera desarrolló bizcochos y rellenos gourmet que revolucionaron el mundo del sugarcraft, introduciendo cremas de cócteles, ganaches de frutas exóticas, entre muchos otros. Sus innovadores sabores han recibido una gran acogida y establecido una tendencia que actualmente es recogida por los profesionales europeos.

La originalidad y creatividad de sus diseños hizo que se destacara entre los mejores cake designer. Sus creaciones, reconocidas internacionalmente por sus perfectos acabados y su exquisito e inigualable estilo, son requeridas por la prensa internacional y también estuvieron presentes en las celebraciones de afamados clientes tales como: Mattel para el 50 Aniversario de la muñeca Barbie; Tiffany & Co en ocasión del 50 Aniversario de la película *Breakfast at Tiffany's*; Tous para el 25 Aniversario de la joya Oso Tous; Tonya Hurley, autora del libro *Ghostgirl*, para celebrar el éxito de sus Best Sellers; la boda de la diseñadora Maya Hansen reproduciendo en azúcar sus vestidos, y *GQ*: 15 años de la revista en España, entre otros.

Patricia dirige su propia escuela Atelier Cakes Haute Couture, en Sitges, Barcelona, la primera y más famosa escuela de Sugarcraft de España y de reconocida proyección internacional, donde se han formado alumnos de todo el mundo. Su atelier está concebido como un espacio de arte donde se guía a los alumnos en las técnicas de diseño y usos de color y los anima a desarrollar la creatividad y su estilo individual, y ha creado un método de enseñanza único en su tipo, desarrollando prácticas y técnicas propias que garantizan un excelente resultado en el aprendizaje.

Visita a Cakes Haute Couture en:
www.cakeshautecouture.com

Agradecimientos

Agradezco profundamente a mi familia por el gran apoyo prestado durante todo el tiempo que dediqué a este libro, a mi amada hija Miranda, mi eterna fuente de alegría y de amor, y a mi querido esposo Martin, quien dirige nuestra empresa Cakes Haute Couture y es el autor de las maravillosas fotos del libro; sin su trabajo constante y espíritu positivo ni este libro; ni Cakes Haute Couture hubieran sido posibles. Mi infinito agradecimiento y amor para los dos.

Agradezco enormemente a mi madre Myriam por sus fantásticas recetas que ha aportado y por alentar desde siempre mi parte creativa, y a mi hermana Sandra por su apoyo y cariño.

Muchas gracias también a Luis Zendrera, director de Editorial Juventud, a Eliana Maridueña y a todo el equipo editorial, por la calidez y compromiso demostrado para que mi primer libro salga a la luz.

Un agradecimiento muy especial a Nicole Hofmann quien realizó el diseño gráfico, por su gran paciencia, esmero, creatividad y por haber interpretado a la perfección el concepto que quise darle al libro y a cada uno de los productos.

Muchas gracias a los seguidores de mi página web y a todos mis clientes, quienes durante estos fantásticos 10 años de vida de Cakes Haute Couture han llevado al éxito a mi empresa. Y por supuesto, muchas gracias a mis alumnos de todo el mundo, aficionados y profesionales, no solo por haber escogido mi escuela para aprender y perfeccionarse en este mundo de la pastelería creativa sino por los continuos agradecimientos que me hacen llegar por mis cursos y también por compartir el éxito de sus emprendimientos plasmados en talleres y tiendas.

Por último un gran agradecimiento a todo el equipo de Cakes Haute Couture – Pasteles de Alta Costura: soy muy afortunada de contar con este magnífico grupo de colaboradores.

Glosario

Ingredientes

Albúmina en polvo: También llamada clara de huevo deshidratada, se utiliza para hacer glasa real sin el riesgo de bacterias al estar pasteurizada.

Azúcar cristal: Azúcar de grano grueso de diferentes colores, se usa para decorar galletas. También conocida como cristal sugar o sprinkle sugar.

Azúcar de colores: Es azúcar común coloreada, se usa para decorar galletas. Es también conocida como sanding sugar.

Azucar glasé: Azúcar en polvo fina con el añadido de almidones. También conocida como azúcar lustre, azúcar glass o azúcar impalpable.

Chocolate plástico: Pasta de chocolate hecha con chocolate y glucosa para hacer flores, detalles decorativos o para cubrir cupcakes.

Clara de huevo pasteurizada: Clara líquida pasteurizada, se usa para evitar el riesgo de bacterias en preparaciones que no alcancen los 80º C, que es la temperatura con la que se eliminan las potenciales bacterias.

CMC: Carboximetilcelulosa, es el sustituto sintético de la goma tragacanto, se usa para hacer pasta de goma y pegamento comestible.

Colorantes alimentarios: Los colorantes usados en este libro son en pasta, en gel y en polvo. Los colorantes en pasta y gel son ideales para teñir la glasa real y cremas, y los en polvo para dar brillos o distintas tonalidades.

Cremor tártaro: Es un polvo blanco que se obtiene de los sedimentos del vino cuando se añeja, es un producto natural también conocido como ácido tartárico y sirve entre otras cosas para estabilizar la clara de huevo.

Fondant líquido: Es una pasta blanda hecha con azúcar, glucosa y agua, se utiliza modificado añadiéndole almíbar y glucosa para que tenga una textura suave y líquida para bañar cupcakes.

Glasa real: Es una pasta blanda hecha con clara de huevo y azúcar glasé, se utiliza para hacer decoraciones con manga pastelera. También es conocida como icing, glacé real o royal icing.

Glucosa líquida: Es un jarabe denso e incoloro, conocido también como jarabe de glucosa, se utiliza para dar flexibilidad a la pasta de azúcar y pasta de goma, y también para dar más brillo al fondant líquido y a la ganache de chocolate negro.

Goma tragacanto: Es un producto de origen natural que se obtiene por incisión de tallos de algunas especies del arbusto Astragalus. Es un polvo que se usa para dar flexibilidad a la pasta de goma y para hacer pegamento comestible.

Goma xantana: Es un polvo blanco de origen natural que se utiliza para estabilizar y espesar preparaciones como por ejemplo cremas.

Mazapán para moldear: Pasta hecha con almendras molidas, clara de huevo y azúcar glasé. Es ideal para hacer flores y decoraciones tiernas.

Non Pareils: Perlitas diminutas de azúcar para decorar.

Pasta de azúcar: Pasta para cubrir pasteles, cupcakes y para hacer decoraciones, está hecha con azúcar glasé, gelatina, glucosa. También conocida como fondant, pasta americana, rolled fondant y sugar paste.

Pasta de goma: Pasta muy flexible y delgada, especial para hacer flores y detalles decorativos. Está hecha con azúcar glasé, glucosa, agua y goma tragacanto o CMC. También conocida como pasta para hacer flores, florist paste y gum paste.

Pasta de modelar: Pasta flexible para modelar. Se puede hacer mezclando pasta de azúcar y pasta de goma. Conocida también como pasta mexicana o modelling paste.

Purpurina comestible: Fabricado con ingredientes a base de almidón y de cola de pescado.

Lista de términos equivalentes y sinónimos

En varios países llaman a los ingredientes y a las frutas de distinta manera:
· Albaricoque = Damasco
· Azúcar glasé = Azúcar impalpable, azúcar glass
· Banana = Plátano
· Fresa = Frutilla
· Fruta de la pasión = Maracuyá
· Levadura en polvo = Polvo para hornear
· Lima = Cítrico color verde llamado limón en algunos países
· Limón = Cítrico color amarillo llamado lima en algunos países
· Mantequilla = Manteca
· Melocotón = Durazno
· Nata = Crema de leche

Materiales y utensilios

Adaptador de boquillas: Se utiliza para facilitar el uso de la manga pastelera. Al colocar un adaptador de plástico no es necesario vaciar o cambiar la manga pastelera cuando se quiere cambiar de boquilla.

Bolillo: Herramienta compuesta por un mango con una bola en cada punta, de plástico o de metal, usada para afinar y ahuecar pasta de goma, pasta de modelar, etc.

Boquilla: Hechas de acero inoxidable y de distintas formas y tamaños, se usan para decorar con glasa real y con cremas para los cupcakes.

Cortadores: Usados para cortar galletas o pétalos, hojas y flores, generalmente hechos de metal o plástico.

Esteca cuchillo: Herramienta cortante de plástico que asegura un corte preciso para el fondant y demás pastas.

Tapete duro de goma EVA: Se utiliza para afinar los bordes de las flores de pasta de goma. También conocido como flower pad o foam pad.

Texturizador: Herramienta que le da textura a las pastas; puede ser en forma de rodillos, placas plásticas o moldes de silicona.

Índice

CAKES HAUTE COUTURE

Pasteles & Cookies de Alta Costura